Christian Lavenne

Évelyne Bérard

Gilles Breton

Yves Canier

Christine Tagliante

studio 100

méthode de français

niveau 2

Couverture : Isabelle Aubourg
Conception maquette et mise en pages : Isabelle Aubourg
Photogravure : ParisPhotoComposition

 ISBN 2-278-05161-X

Imprimé en France

Avant-propos

Vers la maîtrise du discours

Studio 100 niveau 2, tout en enrichissant les objectifs présentés dans le niveau 1, propose un travail qui conduit progressivement l'élève vers la maîtrise de différents types de discours.
Les objectifs et les contenus de *Studio 100 niveau 2* ont été déterminés à partir des travaux du Conseil de l'Europe et, en particulier, du *Cadre européen commun de référence pour les langues*. Le travail proposé dans *Studio 100 niveau 2* donne à l'élève la possibilité d'utiliser ses acquis antérieurs et de les structurer pour comprendre et produire, à l'oral et à l'écrit, différentes formes de discours. À ce niveau, l'accent est mis sur les savoir-faire langagiers qui permettent d'exprimer des relations temporelles et des relations logiques, d'argumenter et d'interpréter les paroles de l'interlocuteur.
Comme dans *Studio 100 niveau 1*, les contenus sont structurés en parcours et séquences qui fondent la logique de la progression autour d'objectifs de communication indiqués au début de chaque séquence. Cette progression est en même temps fortement empreinte des notions de reprise et d'anticipation afin que l'élève soit sans cesse sollicité pour découvrir, mobiliser, acquérir les connaissances nécessaires à la pratique de la communication en français.

Un projet pédagogique global

Studio 100 et *Studio 60* font partie d'un projet pédagogique global, né de nos contacts avec les utilisateurs de méthodes, de l'observation du terrain, des rythmes d'apprentissage, du temps passé réellement pour réaliser un programme dans les temps prévus par les auteurs.
Nous avons essayé de concrétiser l'objectif suivant : « Ce n'est pas à l'utilisateur de s'adapter à une méthode, mais c'est à la méthode de s'adapter à ses utilisateurs potentiels. »
Cette réflexion a débouché sur le concept de *Studio 60* et *Studio 100*. L'idée principale étant d'offrir à l'utilisateur un matériel proposant des acquis parfaitement identifiables, réalisables par tranches de 60 heures ou de 100 heures, formant un tout en terme de savoir-faire linguistique.
La filière *Studio 60* (niveaux 1, 2, 3) vise soit un enseignement intensif réalisé sur quelques semaines, à l'issue desquelles les élèves disposeront d'un savoir-faire global, soit un enseignement extensif (une année scolaire par exemple) à raison de deux heures de cours hebdomadaires.
La filière *Studio 100* (niveaux 1 et 2) vise un enseignement trimestriel ou semestriel permettant une approche plus approfondie de la langue et des savoir-faire plus diversifiés.
Remarque : les contenus, supports, activités développés dans *Studio 60* et *Studio 100* étant totalement originaux d'un ouvrage à l'autre, des passerelles sont tout à fait possibles entre les deux filières.

Le DELF et le *Cadre européen commun de référence*

Studio 60 et *Studio 100* intègrent dans leurs contenus les objectifs du DELF (A1 et A2) et les niveaux A1, A2, B1 du *Cadre européen commun de référence* (voir tableau ci-dessous).

DELF	*Studio 60*	*Studio 100*
A1	Niveaux 1 + 2	Niveau 1
A2	Niveau 3	Niveau 2

Cadre européen	*Studio 60*	*Studio 100*
A1	Niveau 1	Niveau 1
A2	Niveau 2	Niveau 1
B1	Niveau 3	Niveau 2

À l'issue du niveau 3 de *Studio 60* ou du niveau 2 de *Studio 100*, les deux filières fusionnent et deux niveaux supplémentaires permettront aux élèves, en deux fois cent heures, d'atteindre les niveaux A3 et A4 du DELF et les niveaux B2 et C1 du *Cadre européen commun de référence*.

Une progression originale

Studio 100 niveau 1 amène les élèves à un niveau de compétence linguistique leur permettant de communiquer dans la plupart des situations de communication quotidiennes.
Dans le premier niveau de *Studio 100*, nous avions privilégié les objectifs qui permettent d'aboutir à une communication authentique, personnelle au sein du groupe classe (demander, transmettre de l'information, exprimer ses goûts,

ses opinions, argumenter à un niveau élémentaire, raconter, dire à quelqu'un de faire quelque chose, formuler une proposition...).
Le niveau 2 permet aux élèves de passer à la vitesse supérieure en leur donnant la possibilité de passer progressivement d'un échange simple à des situations qui imposent un passage au discours, à l'articulation des idées, à la formulation d'hypothèses ainsi qu'à l'établissement de relations de cause / conséquence ou d'opposition.
Le niveau 2 de *Studio 100* intensifie également une démarche (les activités croisées), déjà présente dans le niveau 1 : le passage d'une source d'information (oral ou écrit) à une autre situation d'expression orale ou écrite.

L'écrit

Il tient une place importante dans ce niveau 2. Les textes servant de base à des activités croisées sont nombreux et variés.
L'expression écrite est présente dans chaque séquence. Le cahier d'exercices offre des activités d'écrit complémentaires ainsi qu'une préparation à l'épreuve écrite de l'unité A2 du DELF.

Une méthode centrée sur l'enseignant

Le guide pédagogique a été conçu pour être un outil efficace facilitant la tâche des professeurs qui y trouveront :
• des suggestions précises pour réaliser chacune des activités proposées dans le livre de l'élève ;
• les corrigés de tous les exercices présents dans le livre de l'élève ;
• la transcription de tous les dialogues ;
• des explications concernant la démarche pédagogique adoptée par les auteurs de *Studio* ;
• des « points formation » sur des questions liées à la grammaire, au lexique, à l'évaluation, à la communication, et de manière générale, à toutes les options pédagogiques adoptées par *Studio*.
Uné collection *Studio didactique* propose aux professeurs, parallèlement à la pratique de *Studio*, des ouvrages à thèmes, proches des préoccupations pédagogiques de la démarche du projet *Studio*.

Les mots-clefs de la méthodologie de *Studio 100 niveau 2* :

- des échanges spontanés proches de la communication réelle ;
- une approche du discours ;
- une approche interculturelle de la France à travers des thèmes choisis parce qu'ils permettent des échanges entre la culture des élèves et celle des Français ;
- l'évaluation (niveau B1 du *Cadre européen commun de référence*, niveau A2 du DELF, évaluation des acquis de chaque parcours) ;
- des activités croisées : les productions des élèves (écrit / oral) sont basées sur des supports multiples ;
- apprentissage basé sur des tâches à accomplir ;
- organisation du matériel sur un schéma non-répétitif grâce à la variété des activités proposées et à leur aspect ludique ;
- reprise systématique des acquis antérieurs ;
- anticipation des savoir-faire à venir ;
- 100 heures d'apprentissage réel.

Un niveau 2 évolutif par rapport au niveau 1

Cette évolution se traduit par :
• une augmentation du recours à des supports écrits ;
• un recours plus systématique aux activités « croisées » combinant plusieurs compétences de communication ;
• une introduction progressive des outils linguistiques permettant la production d'un discours structuré à l'oral et à l'écrit ;
• une approche des textes littéraires à l'issue de chaque parcours ;
• un contact quotidien avec la langue parlée à travers plus de trois heures d'enregistrements, qui permet aux élèves d'être en contact avec des dialogues plus denses, les amenant à un enrichissement important de leur lexique.

Les auteurs

Objectifs d'apprentissage

REMISE EN FORME

Il s'agit d'une séquence « zéro », qui a pour but de permettre un démarrage en douceur de cette seconde période de 100 heures d'apprentissage proposée aux élèves. Elle a pour objectif de « rafraîchir » des acquis du niveau 1 en les mettant en situation et en les insérant dans une continuité et un contexte. Elle permet de « relancer la machine » après une période d'interruption des cours, qu'elle soit brève (une ou deux semaines) ou longue (plusieurs mois).

Séquence 0

Remise en forme

OBJECTIFS

Savoir-faire

- comprendre des messages simples et complexes dans différentes situations
- localiser dans l'espace et dans le temps
- rapporter un événement

Culture(s)

- les lieux symboliques des Français

PARCOURS 1 : D'UN DISCOURS À L'AUTRE

L'objectif de ce parcours est de permettre à l'élève de se familiariser avec une démarche caractéristique du niveau 2 de *Studio 100*: le passage d'un type de discours (oral ou écrit) à un autre type de discours, c'est-à-dire d'apprendre à se servir d'une source écrite et des informations qu'elle contient pour les reformuler à l'oral ou même à l'écrit, ou inversement de partir d'une source orale qui sera rapportée à l'oral ou à l'écrit.

Cela implique, par exemple sur le plan linguistique, de s'initier au « discours rapporté » (construction des verbes du discours rapporté, concordance des temps).

La séquence 1 (paroles) explore le discours rapporté (oral → oral).

La séquence 2 (textes et paroles) est centrée sur le passage de situations orales à des productions écrites (oral → écrit).

La séquence 3 est une séquence de reprise et d'enrichissement d'acquis du niveau 1 (dire de faire, se situer dans l'espace, réagir à une situation) et d'anticipation d'acquis nouveaux (le subjonctif).

La séquence 4 (documents) est centrée sur l'utilisation de documents écrits et la transmission à l'oral des informations qu'ils contiennent (écrit → oral).

Séquence 1

Paroles

OBJECTIFS

Savoir-faire

- rapporter et interpréter les paroles de quelqu'un

Grammaire

- le discours indirect
- les verbes du discours rapporté
- la concordance des temps

Culture(s)

- petites phrases et citations

Séquence 2

Textes et paroles

OBJECTIFS

Savoir-faire

- relier des situations d'oral et d'écrit
- donner des consignes

Grammaire

- l'impératif ou l'infinitif (ordres, consignes)

Phonétique

- insistance

Écrit

- remplir une fiche
- rédiger une carte postale
- formuler une proposition

Séquence 3

Reprise, anticipation

OBJECTIFS

Savoir-faire

- donner des consignes
- situer dans l'espace
- réagir à une situation

Grammaire

- le subjonctif
- l'impératif

Écrit

- répondre à un test

Séquence 4

Documents

OBJECTIFS

Savoir-faire

- transmettre de l'information en se servant de sources écrites

Grammaire

- verbes de parole

Écrit

- formuler un refus

Culture(s)

- les sigles
- littérature : un peu de poésie

PARCOURS 2 : RÉCITS ET PROJETS

L'objectif de ce parcours est d'amener les élèves à élargir leur capacité de s'exprimer dans le temps dont les bases ont été acquises au cours du niveau 1 de *Studio 100*.

Ce parcours vise l'acquisition des notions de fréquence, de proximité dans le temps, de durée, d'accompli ou d'inaccompli, de simultanéité, d'antériorité, et leur permet de découvrir et de pratiquer des formes simples de récit.

La séquence 5 (relativité) est centrée sur les outils linguistiques qui permettent d'évoquer un moment en fonction du moment de l'élocution (durée, passé récent, accompli / inaccompli).

La séquence 6 (chronologie) invite les élèves à la compréhension et à l'expression de récits utilisant des notions plus complexes (indicateurs de chronologie, simultanéité, antériorité) et introduit certains procédés de nominalisation.

La séquence 7 est consacrée à la reprise de l'expression des consignes, de la description d'un objet, de la caractérisation d'une personne, de la transmission d'informations à partir d'un document oral et anticipe l'expression des relations de cause / conséquence et de l'argumentation.

La séquence 8, quant à elle, élargit les possibilités d'expression dans le futur des élèves (valeurs du futur, chronologie, expression du futur avec « aller + infinitif », avec le présent et le futur antérieur).

Séquence 5
Relativité

OBJECTIFS

Savoir-faire
- situer dans le temps
- exprimer la fréquence
- exprimer la durée

Grammaire
- les indicateurs de temps : depuis, ça fait, il y a...
- accompli / non accompli
- le passé récent

Écrit
- composer une carte postale

Séquence 6
Chronologie

OBJECTIFS

Savoir-faire
- organiser un récit
- rapporter les événements en suivant une chronologie

Grammaire
- les indicateurs de chronologie
- l'emploi de l'imparfait et du passé composé
- le plus-que-parfait
- la nominalisation

Écrit
- rédiger un message d'excuse

Séquence 7
Reprise, anticipation

OBJECTIFS

Savoir-faire
- caractériser un objet
- caractériser une personne (qualités/ défauts)
- donner des consignes

Grammaire
- l'expression de la cause et de la conséquence
- la comparaison

Culture(s)
- changer de nom
- les onomatopées
- l'horoscope

Séquence 8
Futurs

OBJECTIFS

Savoir-faire
- parler de ses projets

Grammaire
- le futur proche
- le futur simple
- le futur antérieur
- les indicateurs de temps

Écrit
- rédiger un message informatif

Culture(s)
- la France et son histoire
- littérature : Paris sera toujours Paris

PARCOURS 3 : EXPLICATIONS ET CONDITIONS

Ce parcours poursuit la mise en place de moyens linguistiques permettant aux élèves de structurer leur discours et aborde les relations logiques (cause / conséquence, formulation d'explications, d'hypothèses). Parmi les outils linguistiques proposés, on trouve des articulateurs logiques (grâce, à cause, parce que, en raison de, etc.), la formulation d'hypothèses avec « si », « en cas de » et le conditionnel passé.
La séquence 9 (causes et effets) est centrée sur les relations de cause / conséquence, à l'oral et à l'écrit.
La séquence 10 (avec des si...) propose une série d'activités permettant de développer la formulation d'hypothèses avec « si » suivi du présent. L'hypothèse y est présentée en liaison avec la cause / conséquence dans la mesure où toute hypothèse implique une relation de ce type, mais soumise à conditions.
La séquence 11 propose une reprise du futur et de la morphologie des verbes irréguliers, du passé utilisé dans le cadre de textes biographiques, des pronoms compléments (le / la / les / l', en, y) ainsi qu'une anticipation du passif.
La séquence 12 (hypothèses) propose des formulations d'hypothèses plus complexes avec « si » + imparfait ou plus-que-parfait suivi du conditionnel présent ou passé et met l'accent sur les intentions de communication qu'elles permettent d'exprimer (reproche, regret, remerciement, etc.).

Séquence 9
Causes et effets

OBJECTIFS

Savoir-faire
- exprimer la cause et la conséquence
- exprimer l'hypothèse
- exprimer l'opposition

Grammaire
- les articulateurs logiques
- la nominalisation

Écrit
- rédiger un avis officiel

Culture(s)
- l'évolution de la langue

Séquence 10
Avec des si...

OBJECTIFS

Savoir-faire
- exprimer une hypothèse
- exprimer une éventualité
- exprimer une condition

Grammaire
- les constructions avec *si*

Écrit
- rédiger des consignes

Culture(s)
- la naturalisation

Séquence 11
Reprise, anticipation

OBJECTIFS

Savoir-faire
- transmettre une information
- situer dans le temps
- caractériser

Grammaire
- le passif
- le futur des verbes irréguliers
- les doubles pronoms

Écrit
- comprendre un texte de présentation

Culture(s)
- des héros de bande dessinée

Séquence 12
Hypothèses

OBJECTIFS

Savoir-faire
- faire des hypothèses
- faire des reproches
- exprimer des regrets

Grammaire
- si + imparfait + conditionnel présent
- si + plus-que-parfait + conditionnel passé

Écrit
- le courrier électronique
- formuler une proposition

Culture(s)
- les enfants en France
- littérature : quelques débuts de romans

PARCOURS 4 : PRISE DE PAROLE

L'objectif de ce parcours final de *Studio 100 niveau 2* est la prise de parole, au cours de laquelle l'élève va pouvoir réutiliser les acquis des trois parcours précédents.
La séquence 13 (sentiments) permet d'intégrer des éléments affectifs à cette prise de parole et de donner à l'élève des moyens pour exprimer des sentiments personnels (inquiétude, confiance, colère, surprise, etc.), de réagir positivement ou négativement, de formuler une critique à l'écrit et à l'oral.
La séquence 14 (arguments) poursuit un travail amorcé au niveau 1 et permet d'élargir les capacités de l'élève à utiliser des arguments qui deviennent, à mesure qu'il progresse dans son apprentissage, plus fins et plus précis (en intégrant par exemple l'opposition).
La séquence 15 reprend et systématise l'emploi des relatifs (qui, que, dont) dans des contextes où ils servent à organiser plusieurs informations. Retour / anticipation également sur l'accord du participe passé, à l'écrit et à l'oral lorsqu'il est utilisé avec « être » ou « avoir », elle introduit le gérondif. Cette séquence revient sur les registres de langue en mettant l'élève en contact avec des expressions familières.
La séquence 16 (discours) constitue l'aboutissement du parcours 4, mais il est aussi celui de l'ensemble du niveau 2 car il sollicite tous les acquis antérieurs et prépare ainsi l'élève à la passation du niveau A2 du DELF.

Séquence 13
Sentiments

OBJECTIFS

savoir-faire
- exprimer un sentiment, une émotion, une opinion personnelle

grammaire
- la mise en relief : ce qui... ; ce que...

écrit
- rédiger une critique de film

Séquence 14
Arguments

OBJECTIFS

savoir-faire
- donner des arguments
- apprécier, convaincre

grammaire
- expression de l'opposition

écrit
- écrire une lettre argumentée

Séquence 15
Reprise, anticipation

OBJECTIFS

savoir-faire
- argumenter
- reformuler

grammaire
- le gérondif
- les pronoms relatifs : qui, que, dont
- l'accord du participe passé avec *être* et *avoir*

culture(s)
- l'argot et les argots
- le français familier

Séquence 16
Discours

OBJECTIFS

savoir-faire
- organiser son discours à l'oral

grammaire
- les articulateurs du discours

culture(s)
- l'Europe et l'euro
- les expressions imagées
- littérature : quelques extraits de roman

OBJECTIFS

Savoir-faire

- comprendre des messages simples et complexes dans différentes situations
- localiser dans l'espace et dans le temps
- rapporter un événement

Culture(s)

- les lieux symboliques des Français

COMPRENDRE

Arrivée à Roissy

Écoutez les annonces et trouvez celles qui correspondent à l'arrivée de Sergio Lopez.

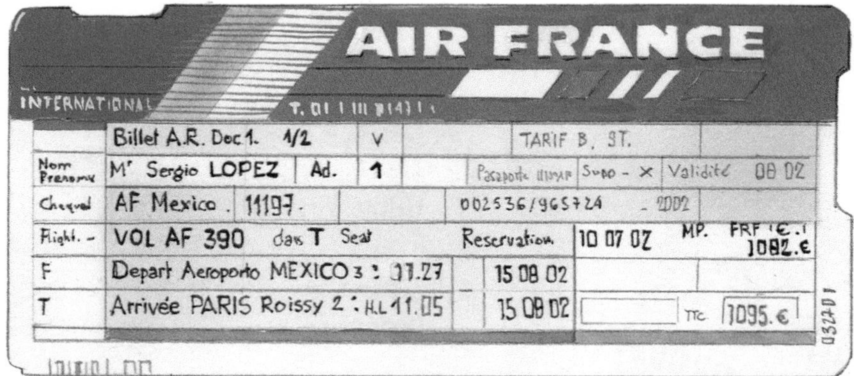

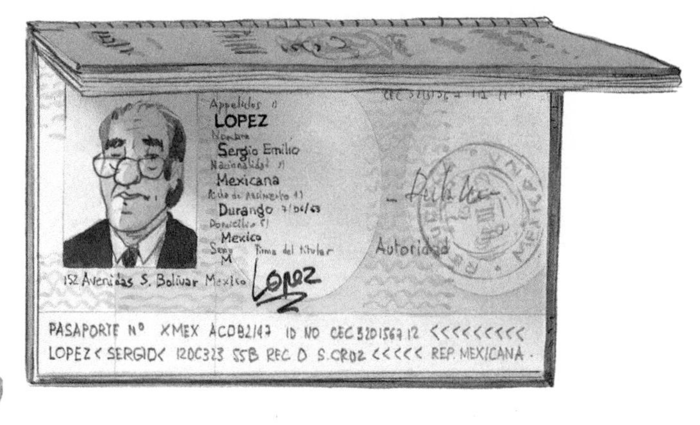

Dans la capitale

Écoutez les séquences sonores et identifiez le document qui correspond à chacune d'elles.

a

TARIFS SALLE T.T.C.

Café	1,5 €
Bière pression	3 €
Soda	2,5 €
Vittel, Perrier	4 €
Thé	3 €
Apéritifs	4 €
Digestifs	4,5 €

b

Désolé de ne pouvoir vous accueillir en personne, mais j'ai une réunion importante au même moment. Je vous confie à Morel ! À ce soir

c

FAX	5.08.02.	F. 1	Hôtel Excelsior Paris

Monsieur,

Veuillez réserver une chambre pour cinq nuits à l'attention de M. Sergio Lopez du dimanche 15 août au jeudi 19 août.

Comme d'habitude, je vous prierai d'expédier la facture aux services financiers de l'entreprise Dumont et Dumond.

d

e

MAISON
DES TROIS
CONTINENTS

J'ai le plaisir de vous inviter à la conférence que donnera Sergio Lopez sur le thème " L'Amérique latine à l'heure de la mondialisation ", le mardi 17 août à 17h30 (auditorium).

f

Allô ?

Écoutez à nouveau l'extrait de la conversation téléphonique entre Sergio et Françoise et imaginez ce que dit Françoise.

– *Allô, bonjour Françoise.*
– …
– *Oui, je viens d'arriver, je suis installé à l'hôtel.*
– …

Une journée bien remplie

Écoutez l'enregistrement et racontez la journée de Sergio.

1

2

3

4

5/6

7

pour situer dans le temps

Rappelez-vous :

- **pour raconter des événements qui se succèdent,** vous utiliserez le **passé composé** :
  – *Il est entré dans un café.*
  – *Il a téléphoné à une amie.*
  – *Il est allé à la gare.*
  – *Il a acheté un billet pour Blois.*
- **pour parler de l'ambiance, du décor, du temps,** vous utiliserez l'**imparfait** :
  – *Dans le café, il y avait du bruit.*
  – *Il faisait chaud.*
  – *Il y avait un accident, les gens criaient.*
- **pour indiquer la succession**, vous pouvez employer **d'abord** ; **ensuite** ; **puis** ; **après** ou des indicateurs plus précis :
  – ***À 9 heures,*** *il est entré dans un café.*
  – ***Une heure plus tard,*** *il a téléphoné.*
  – ***En fin d'après-midi,*** *il est allé dans les grands magasins.*

Un peu de tourisme

Écoutez les enregistrements et dites pour chacun à quel lieu ils correspondent.

a

– Ce soir, les Parisiens pourront profiter du dernier spectacle de Jean-Michel Jarre au pied du monument le plus connu de France…

b Tour Eiffel

c Stade de France

pour situer dans l'espace

Pour utiliser les verbes de mouvement et les prépositions :

– **aller à / au / à la / dans**
Sergio est allé à la gare, à Saint-Germain, dans un café, au café, à l'hôtel, à Tours, dans un magasin…

– **venir de / revenir de**, pour marquer l'**origine**
Il vient de Mexico.
Il est allé à la gare. Il revient de la gare.

– **revenir à / retourner à**, pour marquer la **répétition**
Il revient à Paris la semaine prochaine.
Il retourne à sa place.

– **traverser**
Il a traversé la rue, le marché, la place…

– **entrer dans / sortir de**
Il est entré dans un café.
Il est sorti de l'hôtel, de la gare.

d

e Rolland Garros

f

g

h champs-Elysée

i

j

k

COMPRENDRE

La traversée de Paris

Écoutez l'enregistrement et situez les lieux évoqués sur le plan.

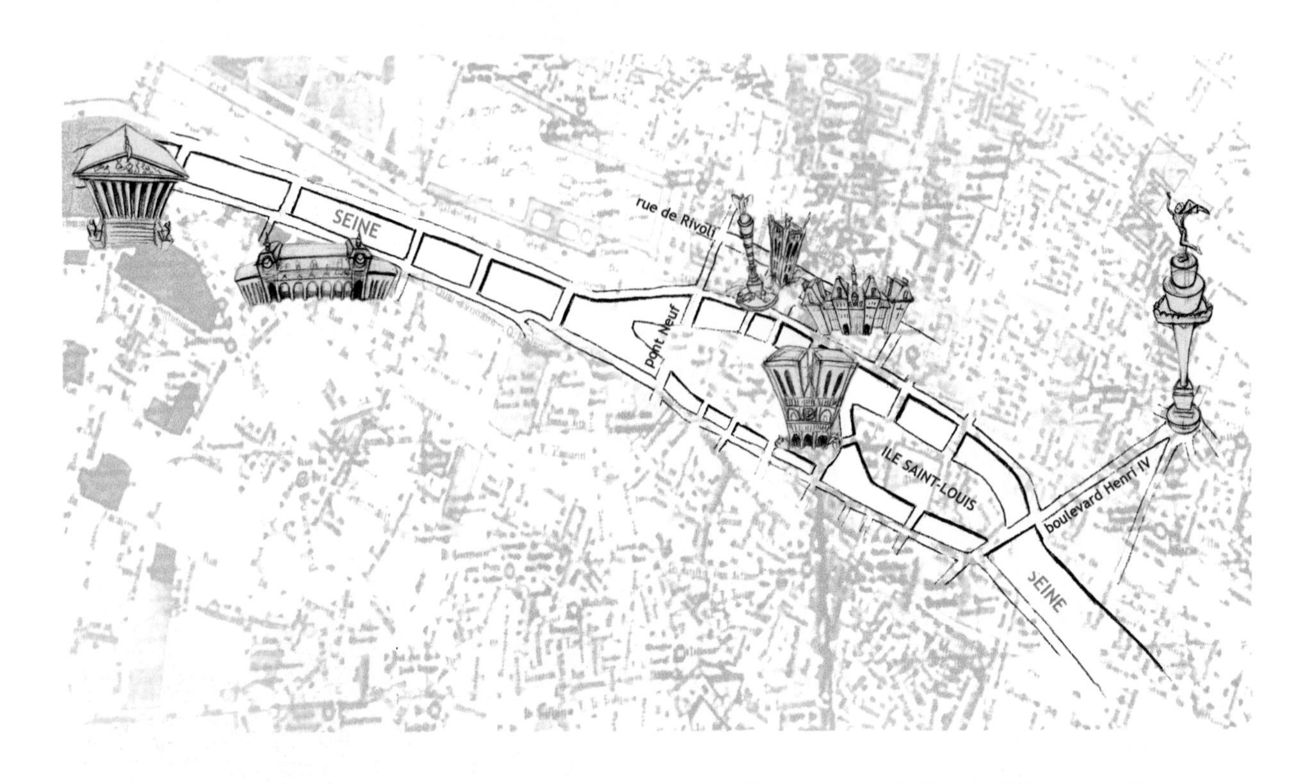

Vos lieux à vous

Présentez un lieu caractéristique de votre pays ou choisissez de présenter un lieu qui figure dans le photomontage.

OBJECTIFS

Savoir-faire
- rapporter et interpréter les paroles de quelqu'un

Grammaire
- le discours indirect
- les verbes du discours rapporté
- la concordance des temps

Culture(s)
- petites phrases et citations

D'un discours à l'autre

Mettez en relation les enregistrements et les documents suivants.

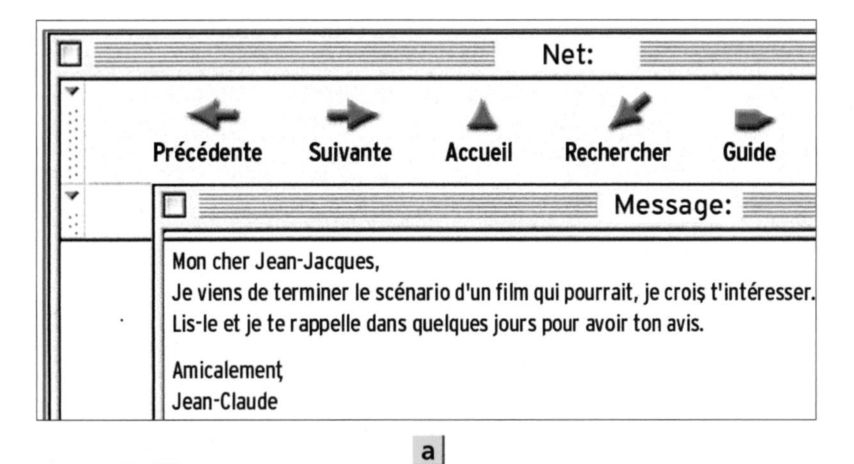

a

b

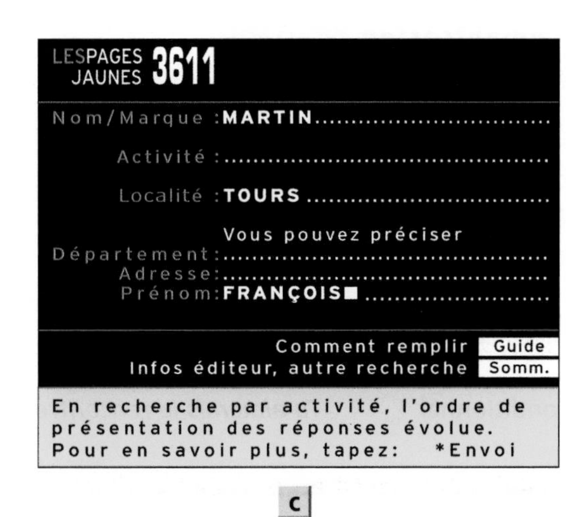

c

d Nous parlons français

PRENEZ UN NUMÉRO ET ATTENDEZ QU'ON VOUS APPELLE.

e Prenez un numero et attendez qu'on vous (?) appellerai

COMPRENDRE PARLER

Qu'est-ce qu'il a dit ?

Écoutez et rapportez les conversations entendues.

Grammaire

Communication

la concordance des temps

Ce qui a été dit :		**Ce qui a été rapporté :**	
présent	*Tu **vas** bien ?*	*Il a demandé si tu **allais** bien.*	imparfait
futur	***J'arriverai** à 23 h.*	*Il a dit qu'il **arriverait** à 23 h.*	conditionnel
futur avec « aller »	*Tu **vas inviter** son père ?*	*Il a demandé si tu **allais inviter** son père.*	« aller » à l'imparfait
passé composé	***J'ai trouvé** du travail.*	*Il a dit qu'il **avait trouvé** du travail.*	plus-que-parfait
conditionnel	*Tu **aimerais** la rencontrer.*	*Il a demandé si tu **aimerais** la rencontrer.*	conditionnel

Le passé composé : verbe **être** ou **avoir** au présent + participe passé : *Je **suis** parti(e). **J'ai** oublié.*
Le plus-que-parfait : verbe **être** ou **avoir** à l'imparfait + participe passé : ***J'étais** parti(e). **J'avais** oublié.*

Exercice : le discours indirect

Reformulez les demandes suivantes en utilisant : dire que, dire de, demander de, demander si.
Exemple :
Vous pouvez patienter quelques instants ? → Il m'a demandé de patienter quelques instants.

1. Vous êtes libre ce soir ? Il m'a demandé si je suis libre ce soir.
2. Est-ce que vous avez vu le dernier film de Luc Besson ? Il m'a demandé si j'ai vu le derni
3. Vous viendrez à 8 h. Il me dire de venir à 8 h.
4. Est-ce que vous pouvez apporter deux baguettes et quelque chose à boire ?
5. Je connais bien les parents de Stéphane. Il m'a dire que il connait bien les parents...
6. Vous pourriez me prêter le dernier prix Goncourt ? Il m'a demandé si je
7. Je vais prendre rendez-vous chez le médecin. Il m'a dire de prendre rendez-vous
8. Est-ce que vous avez répondu à sa dernière lettre ? Il m'a demandé si j'ai repondu a...
9. Est-ce que vous pouvez passer au garage reprendre la voiture ? Il m'a demandé si je peux passer...
10. Vous devez m'apporter votre projet de roman. Il m'a dire de apporter mon projet de roman.

Encore des discours

Écoutez et dites quelle(s) phrase(s) se rapporte(nt) à ce que vous avez entendu.

1. Il a fait un grand discours.
2. Il a présenté sa démission.
3. Il nous a annoncé son départ pour le Japon.
4. Il nous a annoncé son mariage avec Martine.
5. Il nous a adressé quelques mots de bienvenue.
6. Il nous a donné des nouvelles de Gérard.
7. Il nous a fait des compliments.
8. Il nous a fait ses adieux.
9. Il nous a félicités pour notre travail.
10. Il nous a lu une lettre de Gérard.
11. Il nous a promis de nous inviter à son mariage.
12. Il nous a tous invités.
13. Il regrette de partir.
14. Il est content de partir.
15. Il nous a souhaité la bienvenue.

– Je lève mon verre à l'amitié entre les peuples ! Bienvenue et bon séjour dans notre belle ville de Dijon !

Paroles en action

Écoutez chaque série d'enregistrements et choisissez la bonne formule pour rapporter ce que vous avez entendu.

Série a

Série b

Série c

Série a

1. Il m'a autorisé à entrer.
2. Il m'a interdit d'entrer.
3. Il m'a invité à entrer.
4. Il m'a obligé à entrer.
5. Il m'a suggéré d'entrer.

Série b

1. Il nous a interdit de le suivre.
2. Il nous a ordonné de le suivre.
3. Il nous a conseillé de le suivre.
4. Il nous a demandé de le suivre.
5. Il m'a proposé de le suivre.

Série c

1. Il a refusé mon aide.
2. Il nous a proposé de l'aide.
3. Il nous a demandé de l'aider.
4. Il nous a ordonné de l'aider.
5. Il a appelé au secours.

Qu'est-ce qu'ils ont dit ?

Écoutez chaque série d'enregistrements et indiquez le numéro de l'enregistrement qui correspond à chaque phrase.

1. Je vous aime !
2. Je ne dirai rien !
3. Le 60e festival de Cannes est ouvert !

dialogue témoin
a. Il a déclaré ouvert le 60e festival de Cannes. ☐
b. Il lui a déclaré son amour. ☐
c. Il n'a pas fait de déclaration. ☐

série 1
a. Il a nié sa culpabilité. ☐
b. Il a avoué sa culpabilité. ☐
c. Il nous a révélé le nom du coupable. ☐

série 2
a. Elle nous a répété son histoire. ☐
b. Elle nous a raconté des histoires. ☐
c. Elle nous a raconté une histoire. ☐

série 3
a. Elle a accepté de me rencontrer. ☐
b. Elle a refusé de le rencontrer. ☐
c. Elle a souhaité me rencontrer. ☐

série 4
a. Il partage mon analyse de la situation. ☐
b. Il a contesté mon analyse de la situation. ☐
c. Il a approuvé mon analyse de la situation. ☐

1

2

3

Grammaire — Communication

construction de quelques verbes du discours rapporté

Avec un nom :
– *Il a accepté mon aide.*
– *Il m'a demandé mon avis.*
– *Il nous a raconté son voyage.*
– *Il m'a promis son aide.*

Avec une préposition + nom :
– *Il n'a pas répondu **à** mes questions.*
– *Il m'a interrogé **sur** mon passé.*
– *Il m'a parlé **de** ses problèmes financiers.*

Avec de + infinitif :
– *Elle a refusé **de** sortir.*
– *Elle m'a suggéré **de** faire une enquête.*
– *Elle lui a demandé **d'**expliquer son projet.*
– *Il m'a promis **de** lui parler.*

Avec à + infinitif :
– *Il m'a autorisé **à** le voir.*
– *Il m'a invité **à** lui montrer mes photos.*
– *Il nous a obligés **à** rester au bureau jusqu'à 8 h.*
– *Il m'a invitée **à** danser.*

Exercice : construction des verbes du discours rapporté

Complétez en choisissant :

1. Il m'....... de visiter le bâtiment.
   ▪ a proposé ▪ a expliqué ▪ a obligé
2. Il m'....... pourquoi il quittait son travail.
   ▪ a répondu ▪ a expliqué ▪ a suggéré
3. Il m'....... de ne pas répéter ce qu'il nous avait dit.
   ▪ a supplié ▪ a souhaité ▪ a obligé
4. Il m'....... de demander son avis à Pierre.
   ▪ a expliqué ▪ a raconté ▪ a suggéré
5. Il m'....... à publier son texte.
   ▪ a interdit ▪ a proposé ▪ a autorisé
6. Elle .... de nous parler.
   ▪ a obligé ▪ a refusé ▪ a souhaité
7. Elle m'....... de lui.
   ▪ a parlé ▪ a questionné ▪ a interrogé
8. Il m'....... à tout lui expliquer.
   ▪ a demandé ▪ a obligé ▪ a promis

Mais qu'est-ce que ça veut dire ?

Écoutez et essayez d'interpréter ce qui a été dit.

– Vous dansez, mademoiselle ?
– Non, désolée, je suis fatiguée.

– Alors ?
– Elle a refusé de danser avec moi.

quelques verbes courants du discours rapporté

Accepter	Dire *oui*.
Refuser	Dire *non*.
Avouer	Dire *c'est moi qui ai fait cela*.
Nier	Dire *ce n'est pas moi*, ne pas reconnaître quelque chose.
Reconnaître son erreur	Dire que l'on s'est trompé.
Approuver	Dire que l'interlocuteur a raison.
Expliquer	Dire pourquoi, donner des arguments.
Hésiter	Dire *peut-être*, ne pas donner une réponse claire.

CHOSES DITES ET CHOSES ENTENDUES

Interprétations
Lorsque quelqu'un dit quelque chose, il est rare que l'on rapporte tout ce qu'il a dit. En général, on interprète, on rapporte globalement ce qui a été dit : « Il a été très clair », « Il n'était pas sûr de lui », « Elle a été très franche », « Il n'a pas tout dit », « Elle a menti ». Les polémiques sont nombreuses, et il est fréquent d'entendre quelqu'un contester l'interprétation des paroles qu'il a prononcées : « Je n'ai pas voulu dire ça », « Ne me faites pas dire ce que je n'ai pas dit ! », « Vous déformez mes paroles », etc.

Petites phrases
Les petites phrases dites par les hommes politiques, dans des circonstances particulières, sont interprétées et commentées par les médias. En général, d'un discours très long, on ne retient que quelques formules, souvent citées par les journalistes. Certaines expressions restent associées pour toujours à un homme politique : « la force tranquille » (François Mitterrand), « la fracture sociale » (Jacques Chirac), « Oui, mais » (Giscard d'Estaing).

Citations
Il en va de même pour les citations : « Je me suis toujours fait une certaine idée de la France » (le général de Gaulle), « Il faut laisser du temps au temps » (François Mitterrand), « Je suis un austère qui se marre » (Lionel Jospin).

OBJECTIFS

Savoir-faire
- relier des situations d'oral et d'écrit
- donner des consignes

Grammaire
- l'impératif ou l'infinitif (ordres, consignes)

Phonétique
- insistance

Écrit
- remplir une fiche
- rédiger une carte postale
- formuler une proposition

Hum ! C'est bon...

Écoutez et choisissez la recette qui correspond à chaque enregistrement.

Brochettes d'agneau
(pour 4 personnes)

- Coupez 800 grammes de gigot en morceaux.
- Mélangez dans un plat 4 cuillères d'huile d'olive, le jus d'un citron, un verre de vin blanc, du sel, du poivre, du laurier et de l'origan.
- Ajoutez la viande. Remuez. Couvrez le plat et laissez reposer 6 heures au réfrigérateur.
- Égouttez la viande. Épluchez 250 grammes d'oignons.
- Garnissez 8 brochettes en alternant agneau, oignons et laurier.
- Rangez les brochettes sur une grille et faites-les cuire 4 à 5 minutes de chaque côté.
- Servez avec du riz.

Salade niçoise minute
(pour 3 personnes)

- Ouvrez une petite boîte de haricots verts. Égouttez.
- Rincez les haricots à l'eau froide. Égouttez à nouveau. Coupez le thon en morceaux.
- Mettez dans un saladier une salade verte lavée avec les haricots, le thon, 200 grammes de pommes de terre cuites, 125 grammes de tomates coupées en morceaux et une vingtaine d'olives.
- Versez sur le mélange un bol de sauce vinaigrette.

Tarte aux pêches
(pour 4 personnes)

- Beurrez et sucrez un moule à tarte de 22 cm de diamètre. Étalez la pâte feuilletée et piquez-la avec une fourchette. Allumez le four (thermostat 5).
- Épluchez 4 belles pêches, coupez-les en quatre. Enlevez les noyaux.
- Dans une terrine, faites ramollir 60 g de beurre, mélangez-le avec 60 g de sucre puis ajoutez deux œufs et une cuillère à café d'amandes en poudre. Battez le tout.
- Répartissez la crème d'amandes sur le fond de tarte. Déposez les quartiers de pêches.
- Ajoutez un peu de beurre et de sucre.
- Mettez au four et laissez cuire 30 minutes.

Vacances en famille

À partir de l'enregistrement, des images, des documents, complétez la fiche.

– *Bonjour…*
– *Bonjour, madame, bonjour, monsieur. Que recherchez-vous ?*
– *Nous voulons partir deux semaines en juillet…*

PRESQU'ÎLE DE CROZON

- **Moyen d'accès / Temps / Itinéraire** ....
- **Hébergement (tarifs)**
  Hôtel .... €
  Camping 12,20-32 €
- **Loisirs**
  Visites Galerie
  Sports Equitation, cyclotourisme
  Promenades ....
- **Activités pour les enfants** Parc de Jeux Bretons

Infos — *Moyens d'accès*

EN TRAIN
Gares Brest - Quimper - Châteaulin
Info — Tél. 08.36.35.35.35
Crozon Info — Tél. 02.98.27.02.15

EN AVION
Aéroport Brest-Guipavas — Tél. 02.98.32.01.00
Aéroport Quimper-Pluguffan — Tél. 02.98.94.30.30

EN AUTOCAR
Brest/Presqu'île de Crozon/Brest
Quimper/Presqu'île de Crozon/Quimper
Transports Salaün — Tél. 02.98.27.02.02

EN BATEAU
Le Fret - Brest - Le Fret
Société Maritime Azenor — Tél. 02.98.41.46.23
Vedettes Armoricaines — Tél. 02.98.44.44.04

a

ACTIVITÉS

Argol
Parc de Jeux Bretons
Mairie - Tél. : 02 98 27 75 30

Camaret/Mer
Pesketour Armement
Pêche en mer (avec tes parents)
Tél./FAX : 02 98 27 98 44
Galerie Le Bouchon - Serge Kergoat
Tél. : 02 98 27 89 85 ou 02 98 46 84 08
Stage et initiation aux crayons de couleurs.

Crozon
Océ'Ane - Tél : 02 98 27 54 22

b

ÉQUITATION

Étrier de l'Aber
École d'équitation
Poney Club
Trébéron - 29160 Crozon
Tél. : 02 98 26 24 63
FAX : 02 98 27 09 62
email : equitation.etrier.aber.crozon@wanadoo.fr
Ouverture : toute l'année
Accueil individuel, groupes, enfants + de 4 ans - Randonnées équestres

c

CROZON - MORGAT - 29560

Rando'plume Morgat
Ouest Découvertes
2 bis, rue Garn an Aod
Tél. : 02 98 26 22 11 - FAX : 02 98 26 17 90
email : contacts@ouest-decouvertes.com
http://www.ouest-decouvertes.com
24 lits - Label Randoplume
Ouverture : du 7/01 au 31/12
Chambres : 12 ***Nuitée :*** 12,20 à 32 €
Petit déjeuner : 4,70 €
Repas : 1/2 P : 38 à 50,30 € ***Panier repas :*** 6,70 €
Piscine - location vélos - randonnées organisées
Distance sentiers rando : 50 m PR et GR

d

CYCLOTOURISME, VTT

Nature Évasion
79, bd France Libre - 29160 Crozon
Tél. : 02 98 26 22 11 - FAX : 02 98 26 17 90
email : contacts@ouest-decouvertes.com
http://www.ouest-decouvertes.com
Ouverture : toute l'année
Accueil individuel, groupes, enfants + de 8 ans
Cyclotourisme : location, randonnée (7,62 à 10,67 €)
VTT : location, balade accompagnée
Forfait 2 jours location VTT ou VTC : 18,30 €

e

Carte postale

Écoutez la conversation et écrivez le texte de la carte postale qui correspond.

– *Qu'est-ce que tu fais ?*
– *C'est bientôt la fin des vacances et on n'a pas encore écrit une seule carte postale ! Celle-là, c'est pour ma sœur.*
– *Qu'est-ce que tu lui dis ?*

Phonétique : expression de l'insistance

Écoutez et complétez les dialogues sur le modèle suivant :

– Arrête !
– Non !
– Arrête ! Je t'ai dit d'arrêter !

1. – Viens ici !
   – Non !
   – Viens ici ! ....

2. – Dépêche-toi !
   – Pfff !
   – Dépêche-toi ! ....

3. – Ne bouge pas !
   – Oh…
   – Ne bouge pas ! ....

4. – Donne-moi ça !
   – Non !
   – Donne-moi ça ! ....

5. – Taisez-vous !
   – …
   – Taisez-vous ! ....

6. – Ne restez pas là !
   – Si !
   – Ne restez pas là ! ....

Votre proposition m'intéresse

Écoutez la conversation, lisez le courrier de Claude Lemoine et rédigez le texte correspondant en vous servant du schéma proposé dans la fiche « Formuler une proposition par écrit ».

– Qu'est-ce que je réponds à M. Lemoine ?
– J'ai lu son manuscrit. Dites-lui que je le trouve très intéressant mais un peu trop technique.

Paris, le 20/03/2001.

Claude Lemoine
Chercheur en astrophysique
au CNRS

Monsieur Lambert,
Directeur des Éditions 2000.

Monsieur,

Je viens de terminer un ouvrage intitulé *L'Origine du monde*, destiné au grand public. J'aimerais avoir votre opinion sur ce manuscrit et savoir s'il est possible d'envisager sa publication dans votre collection « Sciences pour tous ».
Dans l'attente d'une réponse de votre part, je vous prie d'agréer l'expression de mes sentiments distingués.

Claude Lemoine

PS : Ci-joint quelques articles récents que j'ai publiés dans diverses revues scientifiques.
J'ai également envoyé ce manuscrit aux Éditions du Futur et à *Sciences d'aujourd'hui*.

formuler une proposition par écrit

1. Rappel de circonstances, contacts antérieurs
– En réponse à votre courrier du...
– Suite à notre conversation téléphonique du...
– J'ai consulté votre catalogue...
– J'ai bien reçu / lu votre projet, manuscrit, curriculum...
– J'ai lu attentivement votre curriculum vitæ...
2. Éventuellement, ajout d'arguments, d'une appréciation
– Notre entreprise est en pleine expansion...
– Il s'agit d'un marché très porteur...
3. Formulation de la proposition
– Je suis heureux de vous proposer...
– J'ai le plaisir de vous proposer...
– Je serais heureux de...
– Je souhaiterais...
4. Formule de politesse, souhait d'un accord
– En espérant une collaboration fructueuse entre nos deux entreprises...
– Je vous adresse mes sentiments les meilleurs...
– Je vous prie d'agréer l'expression de mes sentiments distingués...
5. Post-scriptum / Indication qu'un document est joint au courrier, etc.
– P.S. : vous pouvez me joindre à tout moment sur mon portable au...
– Vous trouverez ci-joint...
– Je vous adresse ci-joint...

Vous avez du courrier

❶ Écoutez le premier enregistrement, lisez le fax de Pierre Lecomte et répondez à la question que pose M. Leroy.

❷ Écoutez le deuxième enregistrement et rédigez la réponse au fax de M. Lecomte.

A l'attention de Marc Leroy,

Je serai de passage à Paris, du 19 au 21 octobre.
Je vous propose de nous rencontrer
le jeudi 20 octobre entre 8 et 9 heures,
à mon hôtel si possible (je serai au PLM).
Nous pourrions prendre le petit déjeuner
ensemble et discuter de la campagne de
publicité que vous envisagez pour diffuser
vos nouveaux produits.
J'ai préparé une proposition de contrat.
À très bientôt, j'espère.

Pierre Lecomte

– Mademoiselle Leduc ! Rien de spécial au courrier ?
– Si, M. Leroy. Il y a un fax de Pierre Lecomte.
– Qu'est-ce qu'il dit ?

Françaises, Français...

Écoutez les enregistrements et choisissez les titres de journaux qui rendent compte de ce que vous avez entendu.

Une majorité de Français (54%) approuvent l'action du gouvernement

Le chef de l'État a félicité le gouvernement pour sa politique économique et sociale

Économie : le patron de la plus grande entreprise française conteste les déclarations du ministre de l'Économie

Le président de la République a souhaité la bonne année aux Français

L'acteur Jacques Lambert révèle l'identité de son vrai père

L'opposition critique l'action du gouvernement

MERCREDI 14 NOVEMBRE 2...

Exportation : le gouvernement refuse de céder aux pressions de nos partenaires

PARIS. Avec une moyenne de 50 à 100 interv...

Attends, je note...

Lisez ces notes et essayez d'expliquer ce qu'il faut faire.

Sortir ville direction Lyon / prendre autoroute 30 km / Sortir Mâcon Sud / faire 10 km / grand carrefour / Prendre Cy / aller Meray / traverser village / à la sortie à droite grande maison avec cour

Étendre pâte / couper pommes tranches / mettre sur pâte / mélanger 2 œufs, sucre crème : recouvrir avec le mélange / 35 minutes four chaud

Allumer TV magnétoscope / appuyer TV/Vidéo bouton vert sur magnétoscope / Cassette / chaîne / bouton enr sur magnétoscope

différences de formulation entre l'écrit et l'oral

Modes d'emploi, recettes, consignes

Écrit	Oral
Impératif ou infinitif (il n'y a pas de différence de signification) : *Couper les tomates en tranches...* *Mélangez les œufs et le sucre en poudre...*	Présent avec **tu** ou **vous** selon les cas : *– Tu coupes les tomates en tranches...* *– Vous mélangez les œufs et le sucre en poudre...*

Demandes d'informations

Écrit	Oral
Interrogation avec inversion : *Pourriez-vous m'envoyer vos tarifs ?* *Avez-vous bien reçu mon courrier du 25 novembre ?*	Interrogation simple avec **est-ce que** : *– Est-ce que vous pouvez m'envoyer vos tarifs ?* *– Est-ce que vous avez bien reçu mon courrier du 25 novembre ?*

Formules de politesse, salutations...

Écrit	Oral
Mon cher Pierre... Cher ami... *Monsieur... Madame... Mademoiselle...*	*– Salut Pierre, bonjour Pierre.* *– Bonjour monsieur, madame, mademoiselle...*

Exercice : oral / écrit

En utilisant le tableau ci-dessus, reformulez les dialogues sous une forme écrite.

1. – Salut Pierre ! Tu vas bien ?
Cher ami Pierre ! Est-ce que tu vas bien ?
2. – Bonjour monsieur, est-ce que vous pouvez m'envoyer une fiche d'inscription pour les cours d'arabe ?
Bonjour monsieur, pouvez-vous m'envoyer... ?
3. – Bon, je t'explique. Tu prends 100 grammes de farine, tu casses deux œufs dans la farine, tu mélanges...
4. – C'est très simple. Vous remplissez une fiche de renseignements. Vous vous présentez au bureau des inscriptions du lundi au vendredi entre 9 heures et midi. Vous apportez une copie de vos diplômes et deux photos d'identité.

SÉQUENCE 3

REPRISE

OBJECTIFS

Savoir-faire
- donner des consignes
- situer dans l'espace
- réagir à une situation

Grammaire
- le subjonctif
- l'impératif

Écrit
- répondre à un test

Allô ? Tu es où ?

Écoutez le dialogue témoin et imaginez un dialogue pour chaque image.

– Allô ?
– Allô Marc ! C'est Jean-Pierre. Tu es où ?
– Dans le train. Je vais à Paris.
– Moi aussi !

a

Au restaurant.

Dans le train

b au musée

c à la plage

d à conduire

e en Italie

f en Chine

g à la montagne

COMPRENDRE

Le subjonctif ? Vous connaissez ?

Écoutez et identifiez dans chaque série le ou les dialogues où on utilise un verbe au subjonctif.

Série 1
a. Il faut que tu fasses un peu le ménage, tes parents vont bientôt arriver…
b. Tu peux m'aider ? Tes parents arrivent dans deux heures !
c. Il faudrait m'aider. Si tu veux, je passe l'aspirateur et toi tu fais la vaisselle ?

Série 2
a. Je voudrais que vous révisiez ma voiture. Je dois la présenter au contrôle technique d'ici deux jours…
b. Vous pourriez mettre une affiche : À vendre, Citroën AX, année 1983, bon état, bon prix ?
c. J'aimerais que vous regardiez ma voiture. Elle fait un drôle de bruit quand je dépasse le 160…

Série 3
a. Est-ce que vous souhaitez que je vous fasse un paquet-cadeau ?
b. Est-ce que vous pourriez me faire un joli paquet ? C'est pour un cadeau.
c. Vous avez beaucoup de goût. C'est un très bel objet. J'espère que cela fera plaisir à votre belle-maman.

Série 4
a. Il faudrait que vous veniez tout de suite ! Il y a une fuite dans la salle de bains !
b. – Qu'est-ce qu'il faut que je fasse ?
– C'est simple ! Vous coupez l'eau. J'arrive le plus vite possible !
c. – Le concierge M. Lefort est absent momentanément. Veuillez laisser votre message.
– Allô ? M. Lefort ? C'est madame Lagoutte. Vous pourriez couper l'eau, au 5e étage ? Il y a une fuite dans ma salle de bains.

Exercice : verbes avec ou sans subjonctif

Écoutez et dites pour chaque verbe s'il est ou non au subjonctif et, si oui, quel est le verbe ou l'expression qui le précède.

		subjonctif	autre	verbe ou expression qui précède
1	Partir			
2	Venir			
3	Aller			
4	Aller			
5	Faire			
6	Être			
7	Être			
8	Parler			
9	Dormir			
10	Prendre			

Il faut le faire

Écoutez et dites à quelle image correspond chaque dialogue.

a

b

c

d

e

f

Grammaire Communication

le subjonctif

C'est une forme de conjugaison que vous devez utiliser après certains verbes comme **vouloir**, **souhaiter**, **falloir** *(il faut que)* et d'autres expressions verbales ou non verbales que vous découvrirez plus tard.
Pour conjuguer un verbe au subjonctif, il faut utiliser **la forme du présent conjuguée avec** ils :
- ils **vienn**ent → que je **vienn**e, que tu viennes, qu'il vienne, qu'ils viennent
- ils **part**ent → que je **part**e, que tu partes, qu'elle parte, qu'elles partent
- ils **dorm**ent → que je **dorm**e, que tu dormes, qu'il dorme, qu'ils dorment

Avec **nous** et **vous**, on utilise **la même forme qu'à l'imparfait** :
- nous **venions** → que nous venions
- vous **dormiez** → que vous dormiez

que je	parle	que je	prenne	que je	finisse
que tu	parles	que tu	prennes	que tu	finisses
qu'il/elle	parle	qu'il/elle	prenne	qu'il/elle	finisse
que nous	parlions	que nous	prenions	que nous	finissions
que vous	parliez	que vous	preniez	que vous	finissiez
qu'ils/elles	parlent	qu'ils/elles	prennent	qu'ils/elles	finissent

Cette règle de formation du subjonctif fonctionne pour la presque totalité des verbes français.
Seuls une douzaine de verbes ont une **conjugaison irrégulière**.
Les plus fréquents sont : être *(que je sois)*, avoir *(que j'aie)*, faire *(que je fasse)*, vouloir *(que je veuille)*, pouvoir *(que je puisse)*, savoir *(que je sache)*, aller *(que j'aille)*.

COMPRENDRE

La trottinette

À l'aide des images, remettez les consignes dans le bon ordre.

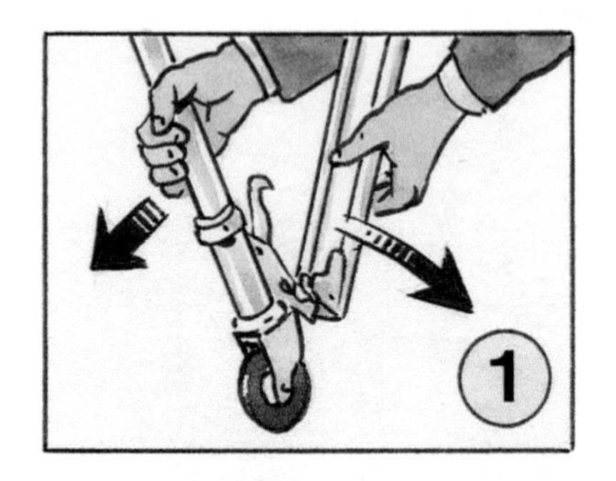

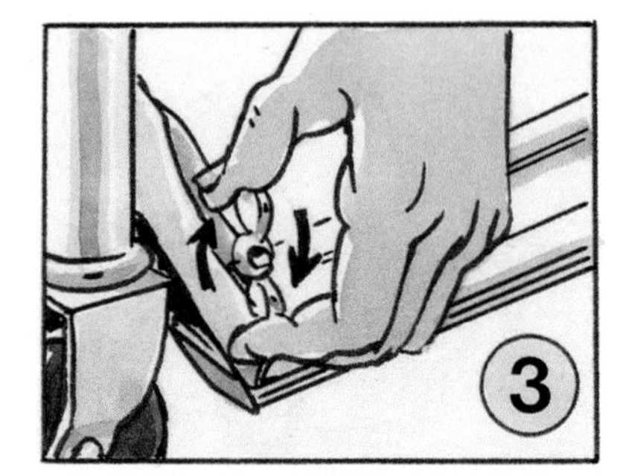

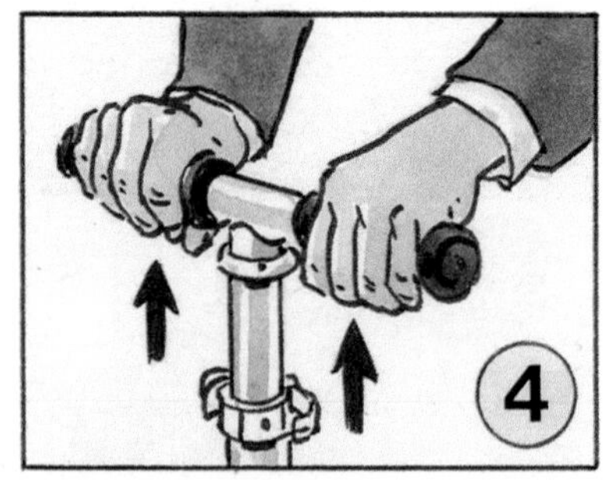

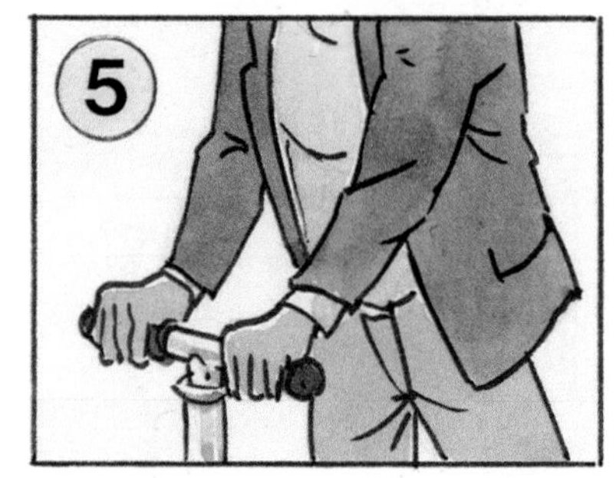

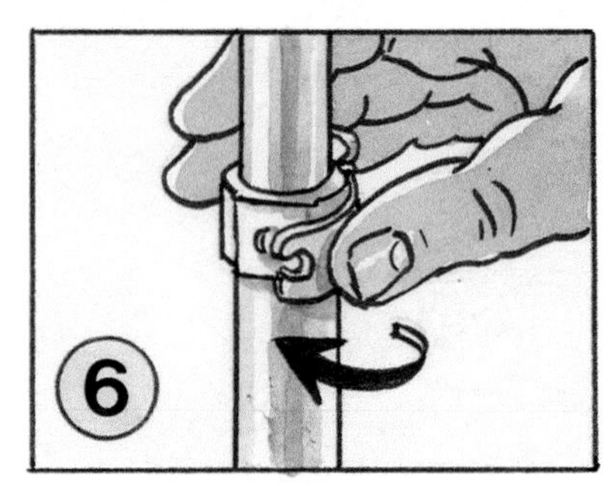

	ordre
Sortez le guidon.	2
Puis serrez le papillon de blocage.	3
Dans un premier temps, dépliez la trottinette.	1
Remarque : pour freiner, appuyez sur le garde-boue arrière.	7
Rabattez ensuite le système de blocage.	
Réglez la hauteur du guidon.	4
Rabattez enfin les languettes de serrage.	6

PARLER

Quel temps de chien !

Faites correspondre chaque enregistrement à une image.

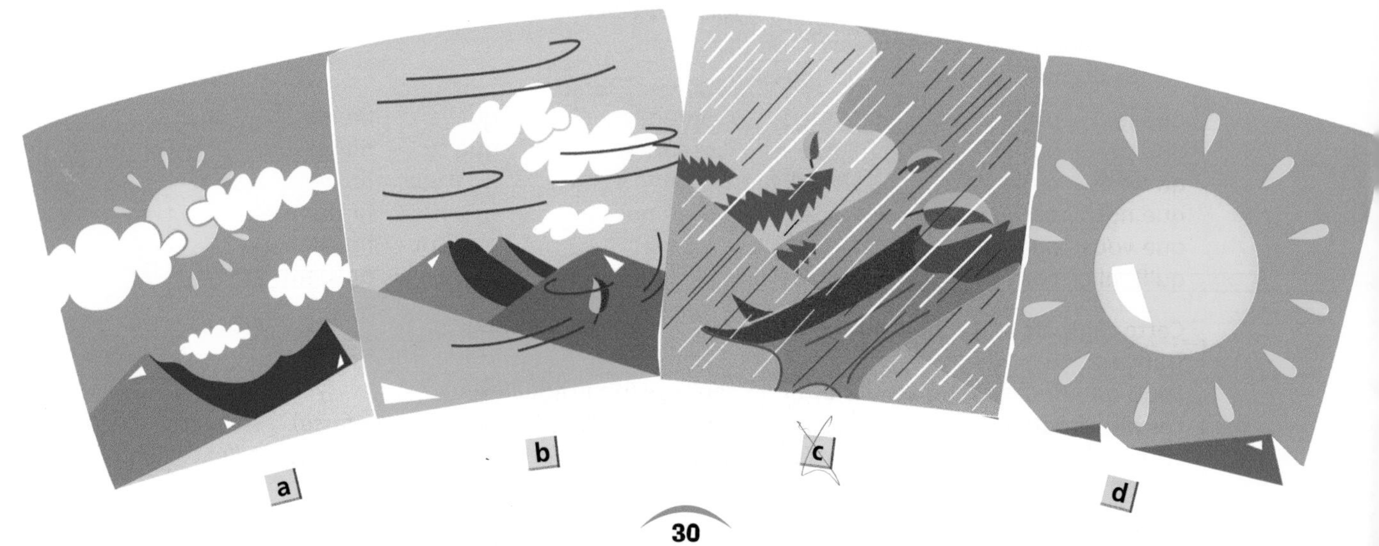

Je fais ma valise

Vous avez trois destinations pour le week-end ou les vacances. Pour chacune de ces destinations, choisissez dans la liste de préparatifs ceux qui semblent correspondre à la destination de votre choix.

Belgique

- Acheter un plan de Bruxelles
- Demander un visa de 15 jours
- Emporter trois kilos de pommes de terre et deux kilos de moules
- Prendre ma collection d'albums de Tintin
- Ne pas oublier ma planche à voile
- Acheter des cartes postales de l'Acropole
- Prendre un anorak
- Prendre une carte routière de l'Europe

Nouvelle-Calédonie

- Prendre un maillot de bain
- Prendre un pull
- Ne pas oublier mon dictionnaire franco-suédois
- Acheter de la crème à bronzer
- Retrouver mon permis de conduire
- Réécouter certaines chansons de Jacques Brel
- Acheter un plan de Nouméa

Alaska

- Prendre des lunettes de soleil
- Ne pas oublier mon matériel de pêche
- Acheter un chapeau de soleil
- Demander un visa
- Emporter cinq paires de chaussettes
- Prendre une paire de sandales
- Acheter le livre de Malaurie sur les Inuits
- Ne pas oublier le produit anti-moustiques

COMPRENDRE

Test : êtes-vous un « râleur » ?

1. **Lundi matin. Il pleut. Vous dites :**
❑ a. Après la pluie, le beau temps !
❑ b. Quel sale temps !
❑ c. Il pleut, il mouille, c'est la fête à la grenouille !
❑ d. Je ne veux plus vivre ici ! L'année prochaine, je déménage à Tahiti !

2. **Vous faites la queue (dans un magasin, une administration). Quelqu'un vous passe devant.**
❑ a. Vous ne dites rien.
❑ b. Vous faites une remarque humoristique ou ironique adressée à ceux qui font la queue.
❑ c. Vous dites : « À chacun son tour ! »
❑ d. Vous insultez cette personne.

3. **Au restaurant, vous trouvez une mouche dans votre plat.**
❑ a. Vous mangez tout sans rien dire.
❑ b. Vous demandez discrètement au garçon de vous changer le plat.
❑ c. Vous commandez autre chose.
❑ d. Vous faites un scandale et appelez le patron.

4. **De ces maximes, laquelle choisissez-vous pour vous ?**
❑ a. « Aimons-nous les uns les autres. » (Les Évangiles)
❑ b. « En protestant quand il est encore temps, on peut finir par obtenir des ménagements. » (Boris Vian)
❑ c. « Ne fais pas à autrui ce que tu ne voudrais pas qu'on te fasse. » (La Rochefoucault)
❑ d. « L'enfer, c'est les autres. » (Jean-Paul Sartre)

5. **Votre jugement le plus fréquent**
❑ a. C'est super !
❑ b. Je ne sais pas trop quoi penser…
❑ c. Oui, c'est bien, mais…
❑ d. Je déteste ça !

6. **Un ami, qui habite à l'autre bout du monde, vous appelle et vous réveille à 3 heures du matin. Vous répondez :**
❑ a. Bonjour, tu vas bien ? Ça me fait plaisir de t'entendre.
❑ b. Mais, tu as vu l'heure ?
❑ c. Il est quelle heure chez toi ?
❑ d. Tu peux me rappeler vers midi ?

7. **Vos voisins du dessus ont organisé une fête et font beaucoup de bruit.**
❑ a. Vous montez chez eux et apportez une bouteille de champagne.
❑ b. Vous leur faites calmement remarquer qu'il est plus de minuit et que vous devez vous lever à 5 heures.
❑ c. Vous tapez au plafond avec un manche à balai.
❑ d. Vous appelez la police.

8. **Votre avion a une heure de retard.**
❑ a. Vous patientez tranquillement en lisant un livre ou une revue.
❑ b. Vous allez voir une autre compagnie.
❑ c. Vous dites : « C'est la dernière fois que je prends cette compagnie ! »
❑ d. Vous annulez votre voyage.

RÉSULTATS DU TEST • Vous avez une majorité de : a. → vous êtes très gentil(le), peut-être un peu trop… b. → vous êtes sociable mais vous n'aimez pas vous laisser marcher sur les pieds… c. → vous avez toujours le mot adapté à la situation… d. → vous êtes un vrai râleur…

OBJECTIFS

Savoir-faire
- transmettre de l'information en se servant de sources écrites

Grammaire
- verbes de parole

Écrit
- formuler un refus

Culture(s)
- les sigles
- littérature : un peu de poésie

La bonne information

Lisez les documents et rectifiez les informations fausses dans les enregistrements.

Victor Hugo, écrivain français (Besançon 1802 - Paris 1885). Fils d'un général de l'Empire, il est d'abord un poète classique et monarchiste. Mais la représentation d'*Hernani* (1830) fait de lui la meilleure incarnation du romantisme. Député en 1848, il s'exile à Jersey, puis à Guernesey, après le coup d'État du 2 décembre 1851. Rentré en France en 1870, partisan des idées républicaines, il est un personnage honoré et officiel et, à sa mort, ses cendres sont transférées au Panthéon.
De nombreux films sont tirés de ses romans *(Les Misérables, Notre-Dame de Paris)* et même des dessins animés produits par les studios Disney.

Née en 1943, **Catherine Deneuve** est probablement l'actrice française la plus connue à l'étranger. De son vrai nom Catherine Dorléac, elle commence en 1961 une carrière internationale. En 1971, elle rencontre l'acteur italien Marcello Mastroianni. Elle a tourné dans beaucoup de très grands films français et étrangers.
Belle de jour, La Dolce Vita, Drôle d'endroit pour une rencontre, Les Voleurs, Le Dernier métro, Place Vendôme, Indochine, Dancer in the dark : voilà quelques-uns des titres les plus connus de son impressionnante filmographie.
Récompensée à de nombreuses reprises, elle représente une des légendes du cinéma.
Catherine Deneuve incarne le charme, la beauté et la féminité. Mais elle a su s'engager courageusement dans le combat pour l'abolition de la peine de mort dans le monde.

Vive le train !

Écoutez les enregistrements et servez-vous du document suivant pour donner les informations demandées.

> – *Voilà, je suis français.*
> *J'ai une carte Inter Rail.*
> *Est-ce que je peux voyager*
> *gratuitement en France ?*

Voyager en toute liberté avec Inter Rail

Avec Inter Rail, quel que soit votre âge, vous pouvez circuler librement en 2e classe dans 29 pays en Europe et en Afrique du Nord (à l'exception de votre pays de résidence).

Les pays participant à l'offre Inter Rail sont regroupés en 8 zones

- → Zone A : Grande-Bretagne, Irlande (Eire), Irlande du Nord.
- → Zone B : Suède, Norvège, Finlande.
- → Zone C : Danemark, Allemagne, Suisse, Autriche.
- → Zone D : Pologne, République Tchèque, Hongrie, Croatie, Slovaquie.
- → Zone E : France, Belgique, Pays-Bas, Luxembourg.
- → Zone F : Espagne, Portugal, Maroc.
- → Zone G : Italie, Slovénie, bateaux entre Ancône, Bari, Brindisi (Italie) et Patras, Corfou (Grèce), Grèce, Turquie.
- → Zone H : Bulgarie, Roumanie, Yougoslavie.

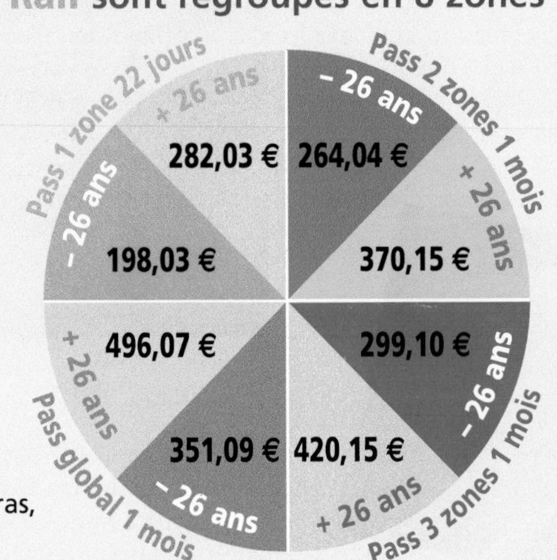

Prix en vigueur au 1er janvier 2001, ne comprenant pas les compléments éventuels (réservation, supplément, place couchette...)

Vous pouvez vous procurer le Pass Inter Rail dans la plupart des gares sur présentation d'une carte d'identité. Pour les Pass achetés en France, vous bénéficiez :

- → d'un aller-retour avec **50 % de réduction** pour vous rendre de votre gare de départ à la gare frontière.
- → de **50 % de réduction** dans les pays de transit si deux zones ne sont pas contiguës.

Inter Rail **vous permet de voyager :**

- → dans les TGV, dans la limite des places disponibles pour ce tarif,
- → sur la totalité des places offertes dans les autres trains.

Des **prix spéciaux** sont aussi prévus pour l'emprunt de lignes privées (autocar, bateau) dans la zone d'application du Pass.

Internet, vous connaissez ?

Lisez le sondage et choisissez la synthèse qui correspond le mieux aux documents.

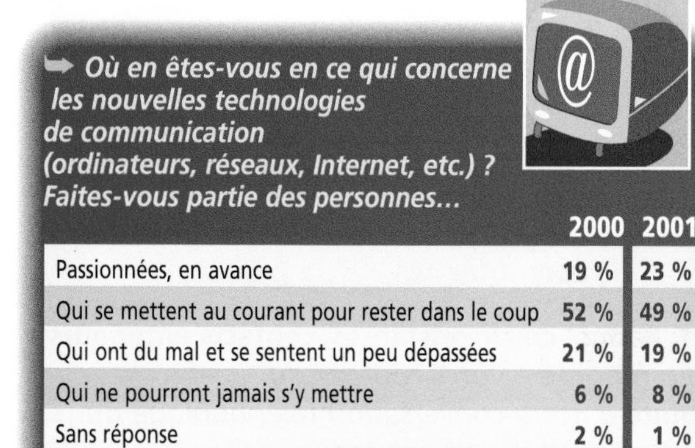

➥ Où en êtes-vous en ce qui concerne les nouvelles technologies de communication (ordinateurs, réseaux, Internet, etc.) ? Faites-vous partie des personnes...

	2000	2001
Passionnées, en avance	19 %	23 %
Qui se mettent au courant pour rester dans le coup	52 %	49 %
Qui ont du mal et se sentent un peu dépassées	21 %	19 %
Qui ne pourront jamais s'y mettre	6 %	8 %
Sans réponse	2 %	1 %

➥ Personnellement, vous êtes-vous déjà mis à Internet ou pensez-vous vous y mettre ?

	2000	2001
Oui, s'y est déjà mis	37 %	51 %
Oui, pense s'y mettre	28 %	22 %
Non	34 %	27 %

Question posée à ceux qui se sont déjà mis ou pensent se mettre à Internet.

➥ Utilisez-vous ou pensez-vous utiliser Internet pour consulter les offres d'emploi ?

	2000	2001
Oui, le fait déjà	22 %	34 %
Oui, pense le faire	25 %	23 %
Non	51 %	43 %
Ne sait pas	2 %	-

Les nouvelles technologies sont entrées dans l'entreprise : actuellement un salarié sur quatre se dit passionné par ces outils de communication. La grande majorité des salariés utilisent déjà régulièrement Internet, en particulier pour consulter les offres d'emploi.

En un an, le nombre de salariés qui utilisent les nouvelles technologies au travail a progressé de façon très faible. Seul un tiers s'est déjà mis à Internet et le nombre de salariés qui utilisent ce moyen de communication pour les offres d'emploi est stable.

En un an, les outils de communication ont gagné du terrain auprès des salariés dans les entreprises : presque un salarié sur quatre se compte parmi les passionnés. La majorité des salariés se connecte à Internet, ce qui représente une progression importante par rapport à 2000.

Écrit / oral

Lisez les deux petits textes et essayez de reconstituer le discours du maire.

Après avoir prononcé quelques mots de bienvenue, le maire d'Arc-et-Senans a souhaité un bon séjour aux participants de ce troisième colloque sur l'avenir des techniques de l'information.
Il a ensuite présenté rapidement l'histoire de la saline royale d'Arc-et-Senans puis il a invité tout le monde à se retrouver devant un buffet campagnard où chacun a pu déguster les spécialités de la région du Doubs.

Construite entre 1775 et 1779, la saline royale d'Arc-et-Senans, est le vestige d'une industrie aujourd'hui disparue : l'exploitation du sel gemme.
Conçue par Claude Nicolas Ledoux, un des plus grands architectes du siècle des Lumières, dans le cadre d'un projet utopique : la cité idéale, la saline royale d'Arc-et-Senans a été classée au titre du patrimoine mondial de l'Unesco en 1983.

Désolé, mais...

Écoutez l'enregistrement et rédigez la réponse à la demande d'emploi faite par Jean-Jacques Larose.

– M. Merlin ? Vous avez lu le curriculum de M. Larose ?
– Oui, ce n'est pas brillant…

Entreprise d'IMPORT-EXPORT
recherche directeur commercial.
Grande expérience
dans le domaine de la vente.
Formation en droit
international souhaitée.
Pratique courante de l'anglais exigée.

Curriculum vitæ

Nom : Larose
Prénom : Jean-Jacques
Né le : 18 janvier 1978

Diplôme : baccalauréat (1998) mention passable.

Expérience professionnelle :
- animateur de clubs de vacances (étés 1998, 1999 et 2000)
- vendeur dans un supermarché (de mars 1999 à juin 1999)

Langue parlée : italien

Permis de conduire : moto

formuler un refus par écrit

1. Rappel de circonstances, contacts antérieurs
En réponse à votre courrier du…
Suite à notre conversation téléphonique du…
J'ai consulté votre catalogue…
J'ai lu attentivement votre curriculum vitæ…
2. Formulations du refus
Je suis désolé de…
J'ai le regret de ne pas pouvoir…
Malheureusement…
3. Éventuellement, ajout d'arguments
Notre entreprise connaît actuellement certaines difficultés…
Ce marché ne nous apparaît pas très porteur…
La situation économique actuelle ne nous permet pas de…
4. Formules de politesse
En regrettant de ne pas pouvoir donner suite à votre proposition […]
Je vous adresse mes sentiments les meilleurs.
Je vous prie d'agréer l'expression de mes sentiments distingués.

Finalement… après réflexion…

Écoutez les enregistrements et rédigez la nouvelle réponse à la demande d'emploi faite par Jean-Jacques Larose.

– Allô ! Merlin !
– Oui M. le Directeur !
– Vous avez reçu la candidature de mon neveu, Jean-Jacques Larose ?
– Oui…

Exercice : verbes du discours rapporté

❶ Choisissez le verbe qui convient.

1. François est très content de mon travail : il m'....... .
   ■ a félicité ■ a critiqué ■ a averti
2. Crois-moi : tu l'as payé trop cher, ton magnétoscope. Tu devrais ....
   ■ faire une demande ■ faire une réclamation ■ faire une enquête
3. Au revoir, mes amis. Je vous .... de vous donner bientôt de mes nouvelles.
   ■ promets ■ préviens ■ propose
4. Tu connais Irène, ma collègue de bureau ? Eh bien, elle nous a .... son mariage avec André, le nouveau comptable.
   ■ renoncé ■ dénoncé ■ annoncé
5. Jean-Louis a encore grossi. Son médecin lui .... de faire un régime.
   ■ a conseillé ■ a encouragé ■ a interdit
6. La route était coupée, à cause de l'inondation. Un gendarme nous .... de faire demi-tour.
   ■ a interdit ■ a proposé ■ a ordonné
7. J'ai proposé de partir plus tard et tout le monde m'....... .
   ■ a refusé ■ a approuvé ■ a dénoncé
8. Sébastien est un garçon honnête : il .... son erreur.
   ■ a connu ■ a nié ■ a reconnu

❷ Remplacez le verbe dire par un verbe plus précis choisi dans la liste.

			choix
1	protester	« Passez donc nous voir un week-end », ont dit Gilles et Annie.	
2	avouer	« C'est vrai, c'est un problème difficile », a dit le professeur.	
3	proposer	Le guide a dit : « Je ne sais pas si nous devons aller à droite ou à gauche. »	
4	conseiller	« C'est moi qui ai cassé l'imprimante. Je suis désolé », a dit Gérald.	
5	approuver	Rémi a dit : « Vous avez cent fois raison, mon vieux ! »	
6	reconnaître	« Ah non ! Je ne suis pas d'accord avec vous ! », a dit Claudine.	
7	hésiter	« Tu devrais prendre deux aspirines et aller au lit », a dit mon frère.	
8	refuser	Papa a dit : « Non, je ne te prête pas ma voiture neuve. »	

LA FACE SOMBRE DU DISCOURS RAPPORTÉ...

On ne dit pas toujours du bien de son prochain... Des rumeurs circulent régulièrement sur les gens en vue : telle chanteuse serait un homme, telle actrice serait atteinte d'une maladie incurable, tel homme politique aurait un enfant caché...

Cette importance de la rumeur se traduit dans la langue par un grand nombre d'expressions pour désigner le phénomène : depuis la *calomnie*, illustrée par Beaumarchais, jusqu'aux *potins, ragots, cancans, racontars, médisances* échangés quotidiennement autour de la machine à café ou entre ami(e)s (« *Tu connais la dernière ?* »).

De même, un certain nombre d'expressions imagées signifient ***dire du mal de quelqu'un*** :

– Jocelyne et Marc ? ce sont de véritables *langues de vipère*.

– Jocelyne et Marc ont *taillé* un vrai *costume* à leur collègue.

– Eh bien, la collègue de Jocelyne et Marc, elle est *habillée pour l'hiver*.

– Jocelyne et Marc *ont bavé* sur leur collègue.

– Jocelyne et Marc *ont déblatéré* sur leur collègue.

– Jocelyne et Marc *ont tapé sur* leur collègue.

Ce travers – qui n'est pas une exclusivité des Français – est illustré par le succès de la presse « people » : *Voici, France Dimanche, Ici Paris, Gala, Entrevue, Point de vue Images du Monde* sont les principaux titres qui tirent à plusieurs centaines de milliers d'exemplaires...

Culture(s)

Les sigles, c'est du chinois !

Écoutez les enregistrements, lisez le texte, regardez les images et les documents présentés puis essayez d'identifier le plus de sigles possibles.

LES SIGLES, C'EST DU CHINOIS !

Qu'est-ce qu'un sigle ?
C'est un mot formé des initiales de plusieurs mots (ONU = Organisation des Nations Unies, ANPE = Agence Nationale Pour l'Emploi).

Les sigles sont présents partout dans la vie quotidienne
Des moyens de transport aux objets usuels, en passant par les partis politiques et les syndicats, le langage quotidien des Français est traversé par les sigles.
Les Français utilisent souvent des sigles en ignorant la signification des lettres qui les composent.

Qui sait, lorsqu'il cite les trois principaux syndicats français (la CGT, la CFDT et FO) que CGT signifie Confédération Générale des Travailleurs, CFDT, Confédération Française Des Travailleurs et FO, Force Ouvrière ? Combien ignorent qu'en voyageant en TGV sur le réseau de la SNCF, ils sont dans un Train à Grande Vitesse de la Société Nationale des Chemins de fer Français ? Combien parmi les millions de passagers, qui voyagent avec la RATP (Régie Autonome des Transports Parisiens) dans le métro parisien et le RER (Réseau Express Régional), ignorent ce que signifient ces sigles ?

Les sigles sont présents partout dans la vie quotidienne des Français : on écoute des CD, on regarde des DVD sur sa TV et on navigue sur le Web sur son PC.

Un monde en évolution
Le monde des sigles est en perpétuelle évolution, on y naît, on y vit et on y meurt.
Le CNPF (Confédération Nationale du Patronat Français) s'est transformé en MEDEF (Mouvement des Entreprises DE France), le RPR (l'actuel parti gaulliste) a existé sous le nom de RPF et d'UDR.
Le phénomène du sigle n'épargne pas les personnes. Les Américains ont eu leur JFK (John Fitzgerald Kennedy), les Français ont leur VGE (l'ancien président de la République Valéry Giscard d'Estaing), leur DSK (l'ancien ministre des Finances Dominique Strauss-Kahn), leur PPDA (Patrick Poivre d'Arvor) célèbre présentateur du JT (Journal Télévisé) de TF1 et même leur philosophe BHL (Bernard-Henri Lévy) ou leur footballeur JPP (Jean-Pierre Papin), célèbre dans les années 1980.

Cette méthode, *Studio 100,* n'échappe pas à l'influence des sigles car c'est une méthode de FLE (Français Langue Étrangère). Elle vous permet de préparer le DELF (Diplôme d'Étude de Langue Française).

Culture(s)

DSK

RATP

VGE

PPDA

La signification de quelques sigles

Éducation
IUT : Institut Universitaire Technologique.
DEUG : Diplôme d'Études Universitaires Générales.
CROUS : Centres Régionaux des Œuvres Universitaires et Scolaires.

Social
ANPE : Agence Nationale Pour l'Emploi.
SMIC : Salaire Minimum Interprofessionnel de Croissance.
RMI : Revenu Minimum d'Insertion.

Économie
TTC : Toutes Taxes Comprises.
TVA : Taxe sur la Valeur Ajoutée.
PME : Petite et Moyenne Entreprise.
OPEP : Organisation des Pays Exportateurs de Pétrole.

poésie littérature

Jacques Prévert

Arthur Rimbaud

Paul Verlaine

Le Cancre

Lisez le poème et remettez les illustrations dans le bon ordre.

Il dit non avec la tête
mais il dit oui avec le cœur
il dit oui à ce qu'il aime
il dit non au professeur
il est debout
on le questionne
et tous les problèmes sont posés
soudain le fou rire le prend
et il efface tout
les chiffres et les mots
les dates et les noms
les phrases et les pièges
et malgré les menaces du maître
sous les huées des enfants prodiges
avec les craies de toutes les couleurs
sur le tableau noir du malheur
il dessine le visage du bonheur

Jacques Prévert, *Paroles*.

a

b

c

d

e

Sensation

**Lisez le poème d'Arthur Rimbaud.
Quelle est l'illustration qui, d'après vous, illustre le mieux ce poème ?**

Par les soirs bleus d'été, j'irai dans les sentiers,
Picoté par les blés, fouler l'herbe menue :
Rêveur, j'en sentirai la fraîcheur à mes pieds.
Je laisserai le vent baigner ma tête nue.

Je ne parlerai pas, je ne penserai rien :
Mais l'amour infini me montera dans l'âme,
Et j'irai loin, bien loin, comme un bohémien,
Par la nature, – heureux comme avec une femme.

Arthur Rimbaud, *Poésies*.

Il pleure dans mon cœur

❶ Écoutez les trois enregistrements de ce poème. Quel est celui que vous préférez ?
❷ Quelle est la musique qui correspond le mieux à ce poème ?

Il pleure dans mon cœur
Comme il pleut sur la ville ;
Quelle est cette langueur
Qui pénètre mon cœur ?

O bruit doux de la pluie
Par terre et sur les toits !
Pour un cœur qui s'ennuie,
O le chant de la pluie !

Il pleure sans raison
Dans ce cœur qui s'écœure.
Quoi ! Nulle trahison ?...
Ce deuil est sans raison.

C'est bien la pire peine
De ne savoir pourquoi
Sans amour et sans haine
Mon cœur a tant de peine !

Paul Verlaine, *Romances sans paroles*.

1. Compréhension orale / expression écrite

Vous avez du courrier.
Écoutez le dialogue et rédigez le fax de réponse.

FAX IMMOBILIER MOREL
PARIS

Date : ....
Destinataire : Victor COURLEUX

Nombre de pages celle-ci incluse : ....
Message : ....

2. Compréhension écrite / expression orale

Expliquez oralement comment réaliser cette recette.

FARFALLE AL GORGONZOLA
(Pour 4 personnes)

400 g de farfalle (papillons) • 1 cuillère à café d'huile d'olive • 25 cl de crème • 200 g de gorgonzola doux • 50 g de beurre • 50 g de parmesan

- Faites cuire les pâtes dans de l'eau bouillante salée additionnée d'huile d'olive.
- Coupez le gorgonzola en dés. Faites fondre le beurre dans une grande poêle.
- Ajoutez les dés de gorgonzola et laissez fondre à feu doux.
- Ajoutez la crème petit à petit en remuant constamment.
- Salez et poivrez. Laissez épaissir 5 minutes.
- Incorporez une ou deux cuillères à soupe de parmesan.
- Égouttez les pâtes puis ajoutez au contenu de la poêle.
- Mélangez bien.
- Servir tout de suite. Présentez le reste de parmesan à part.

3. Compréhension écrite / expression écrite

Lisez le texte ci-contre et écrivez le mot destiné aux Gentilhomme.

Janine,
Je dois partir d'urgence à Toulon pour la réunion de direction.
Peux-tu envoyer un mot aux Gentilhomme au sujet de la soirée d'anniversaire d'Alice ?
Je ne serai pas rentré jeudi et je ne pourrai donc pas y aller.
Je t'embrasse.
François
PS : si tu veux, viens me rejoindre avec les enfants pour un week-end plage. Qu'en dis-tu ?

4. Compréhension orale / expression orale

Écoutez et rapportez ce qui a été dit.

Exemple :

Ce qui a été dit :
– *Est-ce que vous pourriez m'aider ?*

→ Ce que vous rapportez :
→ – *Il m'a demandé de l'aider.*

OBJECTIFS

Savoir-faire
- situer dans le temps
- exprimer la fréquence
- exprimer la durée

Grammaire
- les indicateurs de temps : depuis, ça fait, il y a...
- accompli / non accompli
- le passé récent

Écrit
- composer une carte postale

Il faut que ça dure !

Écoutez et identifiez le document correspondant à chaque enregistrement.

– *Allô ! Aurore ? C'est Xavier. Il est plus de midi et ça fait deux heures que je t'attends rue de Paradis. Qu'est-ce qui se passe ? Je ne peux pas attendre plus longtemps, ma voiture est mal garée.*

Première victoire de Thierry Lavoile

Six mois de course en solitaire

Pendant longtemps, le plaisir de la mer est à terre, sur les côtes, sur le sable, sur les galets. Jusqu'au XIXe siècle, la mer est perçue avant tout comme l'espace de tous les dangers, un monde sauvage qui intrigue et inquiète. S'y tremper est

1er janvier : HAUSSE DE PLUSIEURS QUOTIDIENS

C'est plus cher, c'est clair, se serait exclamée Loana X. quand son marchand de journaux favori lui a réclamé la somme exorbitante de 1,20 €. Habituée à régler ce dernier avec 7,50 F, il ne lui a fallu que deux minutes grâce à son convertisseur pour réaliser qu'elle allait devoir engager la dépense supplémentaire de 50 c. (0,08 €).

Chère maman,
C'est beau la mer, sauf quand il pleut. Et ça fait trois jours qu'il pleut !
Ta fille qui t'adore,
Julie

le salon sera fermé
du 15 05 au 30 05
CoiffMod remercie sa clientèle pour sa compréhension

– **À partir du 1er janvier, les commerçants n'accepteront plus les chèques libellés en francs.**

Avez-vous bien demandé à votre banque un chéquier en euros ?

– **Les chèques en francs émis avant le 1er janvier 2002 restent valables un an.**

Ça fait longtemps ?

Dites quel jour a été prononcé chaque enregistrement.

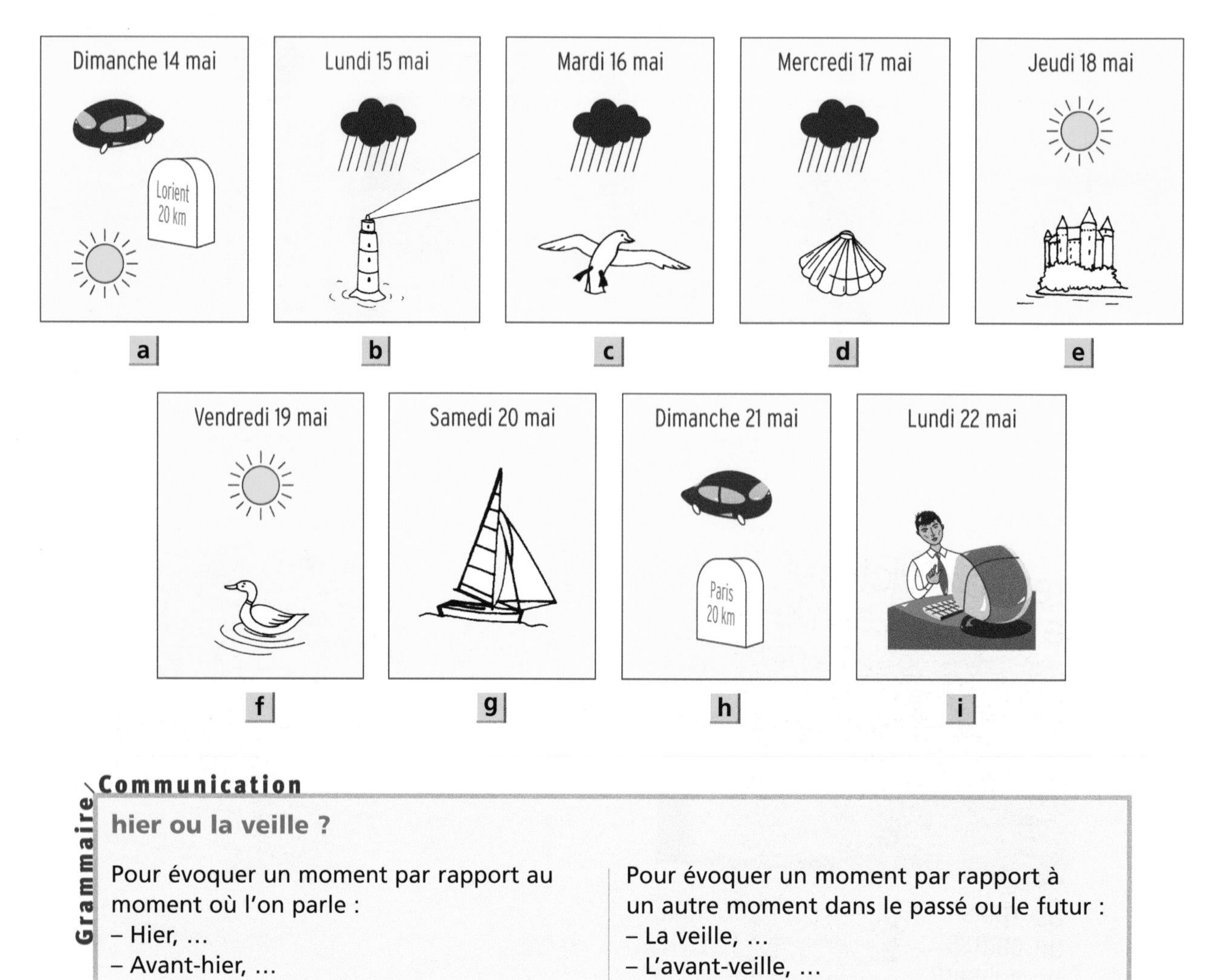

Grammaire / Communication

hier ou la veille ?

Pour évoquer un moment par rapport au moment où l'on parle :
- Hier, ...
- Avant-hier, ...
- La semaine dernière, ...
- Demain, ...
- Après demain, ...
- Dans une semaine, ...

Pour évoquer un moment par rapport à un autre moment dans le passé ou le futur :
- La veille, ...
- L'avant-veille, ...
- Le jour précédent, ...
- Le lendemain, ...
- Le surlendemain, ...
- La semaine suivante, ...

Exemples :
- *Je suis un grand voyageur,* ***hier*** *j'étais à Bruxelles,* ***la veille*** *en Hollande.*
- ***Dans trois jours,*** *je pars à Paris.* ***La semaine suivante,*** *j'irai à Rome.*

Exercice : la durée

Complétez en utilisant depuis / depuis que / il y a / il y a... que :

1. Je t'attends ...... midi.
2. ...... j'habite à la campagne, je suis en bonne santé.
3. Je ne l'ai pas revu ...... son mariage.
4. ...... longtemps ...... je ne l'ai pas vu.
5. Vous habitez ici ...... longtemps ?
6. Je l'ai rencontré ...... une semaine.
7. Il est à Nice ...... lundi.
8. J'ai acheté cette maison ...... 20 ans.

Les temps changent

Écoutez et dites comment c'était avant.

Depuis que Julien s'est marié, il ne fait plus la fête tous les samedis avec ses copains.

Avant

Maintenant

....

....

Exercice : fini ou pas fini ?

Dites si l'événement évoqué est fini ou continue à exister au moment où on parle.

		fini	pas fini
1	Je suis malade depuis une semaine.		X
2	J'ai pris mes vacances en juillet.	X	
3	Ça fait dix ans que je vis dans ce quartier.		X
4	Je l'ai vue la semaine dernière.	X	
5	Non, merci : j'ai déjà mangé.	X	
6	Ça fait longtemps que je n'ai pas vu la mer.		X
7	Ça fait longtemps qu'il parle au téléphone ?		X
8	Tiens ! Elle a changé de coiffure ?	X	
9	Victor Hugo est né dans cette maison il y a 200 ans.	X	
10	J'ai dormi pendant tout le voyage.	X	

COMPRENDRE

Vous faites ça souvent ?

Écoutez et devinez de quel événement on parle.

a

b

c

d

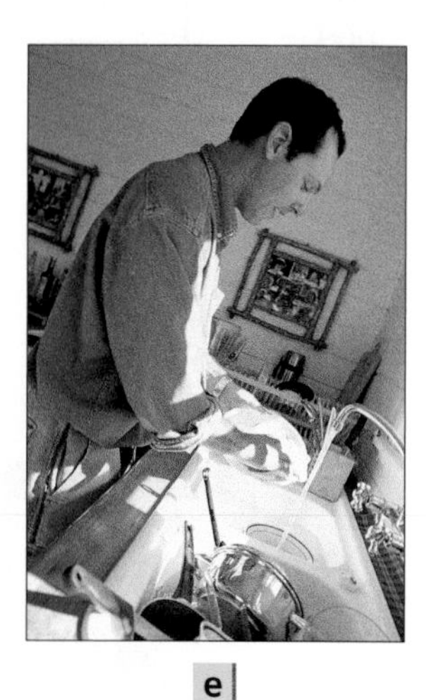

e

f

Exercice : expression de la fréquence

Complétez en choisissant l'expression qui convient.

1. Je mange .... du poisson. J'adore ça !
   ☒ souvent ☐ rarement
2. Je vais .... en Grèce, j'y vais une ou deux fois par an. C'est un pays où il y a .... du soleil.
   ☒ souvent ☐ rarement
   ☒ toujours ☐ jamais
3. Il est en bonne santé. Il va .... chez le médecin.
   ☐ tous les jours ☒ rarement
4. Il m'écrit .... : une fois à Noël ou alors pour mon anniversaire.
   ☐ souvent ☒ de temps en temps
5. Je vais .... chez mes parents. L'Australie, c'est loin de la France !
   ☐ régulièrement ☒ rarement
6. Je fais .... du sport, tous les mardis et tous les samedis !
   ☒ régulièrement ☐ rarement
7. Je ne vais .... à la piscine. Je ne sais pas nager.
   ☒ pas souvent ☐ jamais
8. C'est un garçon très ponctuel. Il est .... à l'heure.
   ☐ rarement ☒ toujours
9. Je vais .... à Paris, mais pas très souvent.
   ☒ quelquefois ☐ régulièrement
10. C'est un excellent élève. Il a .... de bonnes notes.
    ☒ toujours ☐ jamais

Et vos loisirs ?

Pour chacune des activités suivantes, indiquez si vous la pratiquez rarement, quelquefois, souvent, très souvent, jamais, puis cherchez, dans la classe, quelqu'un qui vous ressemble.

		choix
1	Lire un quotidien	très souvent
2	Lire une revue	
3	Lire un livre	souvent
4	Aller au cinéma	souvent
5	Visiter un musée	souvent
6	Aller voir un spectacle (théâtre ou musique)	quelquefois
7	Faire du sport	quelquefois
8	Partir en week-end	rarement
9	Regarder la télé	souvent
10	Rencontrer des amis	souvent
11	Aller au café	quelquefois
12	Aller au restaurant	souvent
13	Écouter de la musique	très souvent

Il vient de se lever

Écoutez et dites si l'événement dont on parle est récent ou non.

	récent	pas récent
1		
2		
3		
4		
5		
6		
7		

– Jacques est prêt ?
– Non, il vient juste de se lever.

Grammaire / Communication

le passé récent

Le passé récent indique qu'une action ou un événement s'est terminé il y a très peu de temps.
Il se construit avec **venir de** + infinitif.

*Il **vient de téléphoner** = Il a téléphoné il y a quelques minutes.*

*Elle **vient de trouver** du travail = Elle a trouvé du travail il y a très peu de temps.*

*Ils **viennent de partir** = Ils sont partis à l'instant.*

Bons baisers de Lucie

Composez deux cartes postales, l'une positive et l'autre négative, à partir des séries de phrases proposées.

Série 1
- On a mis dix-sept heures pour arriver, à cause des embouteillages.
- On est arrivé en deux heures à peine, c'est super !

Série 2
- Je vais tous les jours à la plage.
- Je suis malade depuis une semaine.
- Je suis en pleine forme depuis mon arrivée.

Série 3
- Il pleut depuis deux jours.
- Il fait beau depuis le début des vacances.
- Ça fait longtemps qu'on n'a pas vu le soleil.

Série 4
- Je mange de la cuisine locale plusieurs fois par semaine.
- Je ne mange jamais la cuisine locale, c'est trop gras.
- Je n'ai pas dormi depuis trois jours.
- Je dors pendant des heures.

Série 5
- Le village est très bruyant, il y a souvent des fêtes le soir.
- La région est très calme, il n'y a jamais de bruit.

Exercice : expression de la durée

Dites si la durée évoquée est longue ou courte.

		court	long
1	J'en ai pour cinq minutes !	X	
2	Je suis à vous dans une seconde !	X	
3	Cela fait une éternité que je ne suis pas allé au théâtre...		X
4	C'est un ami de trente ans.		X
5	On se connaît depuis peu...	X	
6	Demain, la météo prévoit de brèves apparitions du soleil...	X	
7	Ça lui a demandé des mois de travail.		X
8	Je t'aime pour la vie.		X
9	Je reviens dans un instant !	X	
10	J'habite ici depuis toujours...		X
11	Je vous garantis un résultat instantané.	X	
12	Ça va encore durer des heures.		X

OBJECTIFS

Savoir-faire
- organiser un récit
- rapporter les événements en suivant une chronologie

Grammaire
- les indicateurs de chronologie
- l'emploi de l'imparfait et du passé composé
- le plus-que-parfait
- la nominalisation

Écrit
- rédiger un message d'excuse

Ils sont tombés dans le panneau...

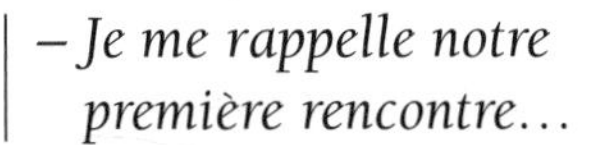

– Je me rappelle notre première rencontre...

Associez les légendes aux panneaux puis continuez l'histoire.

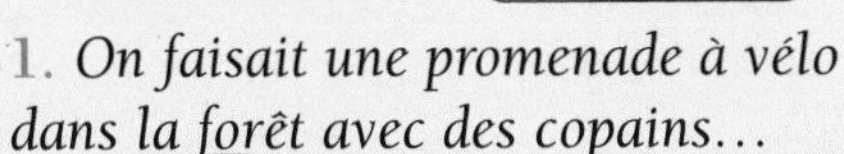

1. *On faisait une promenade à vélo dans la forêt avec des copains...*

2. ....

3. ....

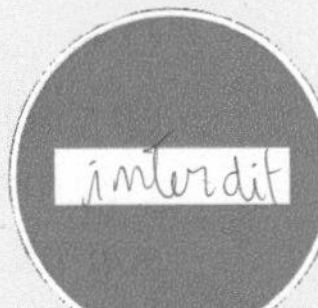

4. ....

5. ....

6. ....

7. ....

8. ....

9. ....

Et maintenant, continuez l'histoire.

	légendes	choix
a	Le lendemain, je traversais la rue...	6
b	Quand une voiture est arrivée très vite et m'a renversé...	7
c	On s'est arrêté pour pique-niquer...	2
d	Comme il faisait froid, on a allumé un petit feu...	3
e	La conductrice, c'était la fille que j'avais vue à cheval la veille dans la forêt !	9
f	Je me suis retrouvé à l'hôpital...	8
g	Et elle a ajouté : Et en plus, quand il y a du vent, c'est très dangereux !	5
h	Une jeune femme est arrivée à cheval et nous a dit : C'est interdit de faire du feu !	4
i	On faisait une promenade à vélo dans la forêt avec des copains...	1

Une vie de gastronome

❶ Écoutez l'interview et complétez la fiche.

1982 - 1987 : ....

.... : départ pour les USA

1988 - 1990 : ....

1991 : ....

.... : publication de ....

....

Septembre 2001 : sortie ....

Octobre 2001 : ....

La première émission sera consacrée au ...., puis .... et ....

Projets 2002 :

Numéro spécial de *Cuisine 2000* sur ....

– Bonjour Sébastien Legras…
– Non pas Legras, Legros.
– Donc Sébastien Legros, vous êtes rédacteur en chef de Cuisine 2000, *une revue gastronomique bien connue qui a fêté son numéro 100 en janvier 2001.*

❷ Écoutez à nouveau l'enregistrement et choisissez le texte correspondant à ce que vous avez entendu.

Échos mondains

Sébastien Legros : un astronome gastronome

ASTRONOME de réputation mondiale, Sébastien Legros a accordé une brève interview à notre journaliste. Après une campagne d'observation astronomique au Canada, au Venezuela et aux États-Unis, il est de retour a Paris. Il prépare actuellement un livre qui sortira en septembre. Mais il a confié à notre reporter qu'il aime aussi les plaisirs de la table : il compte profiter de son séjour dans la capitale pour faire le tour de ses restaurants de cuisine exotique. Bon appétit, Monsieur Legros !

a

VIE SOCIALE **SÉBASTIEN LEGROS : le repos et le repas du navigateur solitaire**

Sébastien Legros, navigateur solitaire bien connu, a passé la soirée d'hier dans un restaurant parisien : « Les cuisines du monde ». Il a récemment terminé un voyage en bateau qui a duré deux ans : il a visité successivement le Canada, les États-Unis, le Mexique, le Brésil puis la Thaïlande et enfin la Grèce. Il a déclaré à notre reporter qu'il passerait bientôt à la télévision pour présenter un film de son tour du monde. Des aventures à suivre…

b

Portrait

SÉBASTIEN LEGROS, LE GASTRONOME TROIS ÉTOILES

Il a fait le tour du monde. Il a souvent changé de métier. Il est à Paris pour quelques mois et m'a accordé un rapide entretien. D'abord cuisinier au Canada (et même cuisinier de marine sur un bateau américain !), il est aujourd'hui chroniqueur gastronomique dans une revue qu'il a fondée en 1993. Ses spécialités ? la gastronomie venue d'ailleurs… Il prépare actuellement un livre et une émission de télévision consacrés aux cuisines du monde. Cet homme aux multiples talents est né sous une bonne étoile : il s'appelle Sébastien Legros et c'est le rédacteur en chef de la revue *Cuisine 2000*. Un nom à retenir comme on retient une table dans un bon restaurant…

c

COMPRENDRE

Avant, pendant ou après ?

❶ Écoutez et identifiez l'image qui correspond à chaque enregistrement.

a

b

c

d

e

f

❷ Dites quel bruitage correspond à chacune des phrases suivantes.

	bruitage
Ils ont ouvert le champagne pendant les 12 coups de minuit, puis tout le monde s'est souhaité la bonne année.	
Jacques a ouvert une bouteille un petit peu avant minuit.	
Quand le douzième coup de minuit aura sonné, nous ouvrirons le champagne.	

	bruitage
Il est parti en riant.	
Après son départ, tout le monde a ri.	
Il a ri et puis il est parti.	

	bruitage
Au moment où il a commencé à parler, mon portable a sonné.	
Mon portable a sonné juste avant le début de son discours.	
Il venait juste de terminer son discours quand mon portable a sonné.	

Grammaire — Communication

les indicateurs de chronologie

Pour indiquer qu'un événement a eu lieu ou aura lieu avant un autre événement :
d'abord, avant, pour commencer.

Pour indiquer qu'un second événement succède au premier :
puis, ensuite, après.

Pour indiquer un événement final :
enfin, pour terminer...

– Actuellement, j'habite au centre-ville, mais ***avant*** *je vivais en banlieue...*
– Je passe ***d'abord*** *à mon bureau,* ***ensuite*** *je vais à la banque et* ***après*** *je te retrouve au restaurant. On va au Grand Vatel, comme d'habitude ?*
– Bon, ***pour commencer****, je prendrai une douzaine d'escargots,* ***puis*** *un lapin chasseur et* ***enfin*** *une tarte Tatin.*

PARLER

C'est le cirque !

Regardez les images, écoutez les bruitages et racontez ce qui s'est passé.

Grammaire

Communication

emploi de l'imparfait et du passé composé

Dans un récit, les temps (imparfait, passé composé, présent) sont utilisés pour préciser :

la situation dans le passé	l'action dans le passé	une information toujours actuelle
1. *La semaine dernière, **j'étais** à Nice.*		
		2. ***C'est** une ville très agréable.*
3. *Il **faisait** un temps splendide.*		
	4. *Je **suis sorti** pour me promener.*	
		5. ***J'aime bien** marcher.*
6. *Il y **avait** beaucoup de monde.*		
	7. *Tu ne vas pas me croire, **j'ai rencontré** Marcel et Brigitte.*	
		8. *Oui, tu sais, Brigitte, **c'est** la sœur de Charles.*

L'imparfait permet de décrire des situations, de parler du décor ou des personnes dans le passé :
Il faisait beau. Il y avait du monde. La ville était déserte.

Le passé composé évoque un événement ou une action dans le passé :
Je suis sorti. J'ai rencontré Marcel.

Le présent permet de donner une information toujours actuelle au moment où l'on parle :
C'est une ville agréable. C'est la sœur de Charles. J'aime bien marcher.

ÉCRIRE

Désolé !

Rédigez un message d'excuse en utilisant une des raisons données.

> **lettre d'excuse**
>
> Désolé(e), …
>
> Je suis désolé(e).
>
> Je suis désolé de + infinitif négatif
>
> Excuse-moi… Excusez-moi !
>
> Je vous/te prie de m'excuser…
>
> Vous voudrez/Tu voudras bien m'excuser…

Chers tous,
Je suis désolé de ne pas être parmi vous pour les fêtes de fin d'année, mais je suis cloué au lit par une méchante grippe.
Amusez-vous bien.
Je vous souhaite à tous une bonne année et une bonne santé !
Julien

ÉVÉNEMENT	RAISON	MESSAGE

Une histoire compliquée

Écoutez et, en vous servant des enregistrements et des textes, remettez les images dans l'ordre chronologique du récit.

Un automobiliste distrait oublie femme et enfants au bord de l'autoroute

Les gendarmes de la brigade de Montpellier ont eu la surprise hier matin de voir arriver un automobiliste affolé leur demandant de retrouver sa femme et ses enfants qu'il avait perdus quelque part sur l'autoroute au cours de la nuit. Cet incident peut paraître incroyable, mais il est plus fréquent qu'on ne le croit, surtout en période de grands départs en vacances, comme c'était le cas lors de ce premier week-end d'août.

Le Midi Libre du 3 août 2001.

a

b

c

d

Grammaire — **Communication**

le plus-que-parfait

Morphologie

On forme le plus-que-parfait en utilisant l'auxiliaire **être** ou **avoir** à l'imparfait suivi du participe passé.

*Il **avait** acheté cette maison en 1980. Elle **était** venue voir André.*

J'	étais parti(e)	J'	avais terminé
Tu	étais parti(e)	Tu	avais terminé
Il/elle	était parti(e)	Il/elle	avait terminé
Nous	étions parti(e)s	Nous	avions terminé
Vous	étiez parti(e)s	Vous	aviez terminé
Ils/elles	étaient parti(e)s	Ils/elles	avaient terminé

Emploi

Le plus-que-parfait permet de parler d'un événement dans le passé, antérieur à un événement ou à une situation eux-mêmes passés.

– En 1990, M. Simon a perdu les élections municipales, il avait déjà perdu celles de 1984.

– Je suis arrivé à 13 heures. Il avait fini de manger.

– Je lui ai téléphoné vers midi, mais il était déjà parti.

On s'est bien amusé, cette nuit. Papa nous a oubliés sur l'autoroute. Maman était vraiment en colère. Les gendarmes sont arrivés. Ils ont essayé de joindre Papa sur son téléphone mobile, mais c'est mon petit frère Loïc qui l'avait dans sa poche pour faire des jeux ! Maman est devenue toute rouge mais Loïc n'a pas eu droit à la fessée, car la télé est arrivée ! Oui ! On est passé à la télé ! C'est la première fois que je passe à la télé. Papa devrait nous oublier plus souvent sur l'autoroute !

Bien chers tous !
Nous sommes finalement arrivés après une journée de retard. Si vous avez regardé la télé, vous devez être au courant de ce qui s'est passé ! Georges nous a oubliés sur l'autoroute ! Georges est allé raconter l'histoire à tous ses copains du camping. Il dit que maintenant on est des vedettes.

Simone

e f g h i

Exercice : imparfait / plus-que-parfait

Écoutez et dites si c'est l'imparfait ou le plus-que-parfait que vous avez entendu.

		imparfait	plus-que-parfait
1	Excusez-moi, je ne vous avais pas vu.		
2	Vous l'aviez déjà vu ?		
3	Qu'est-ce qu'il avait, Fred ?		
4	Je ne voulais pas vous déranger.		
5	Tu avais raison.		
6	À midi, j'étais déjà parti.		
7	Désolé, mais je ne vous avais pas reconnue.		
8	C'est dommage, j'avais terminé le premier.		
9	Je t'avais prévenu !		
10	Je te l'avais bien dit !		
11	Désolé, mais je n'avais pas le temps !		
12	Malheureusement, je m'étais trompé.		

À la une

Écoutez les enregistrements et choisissez les titres de journaux correspondants.

ARRESTATION D'UNE BANDE DE CAMBRIOLEURS A MARSEILLE

Législatives: Défaite de Charles Paquet
■ Le verdict des urnes aura été défavorable à l'ancien ministre d'É...

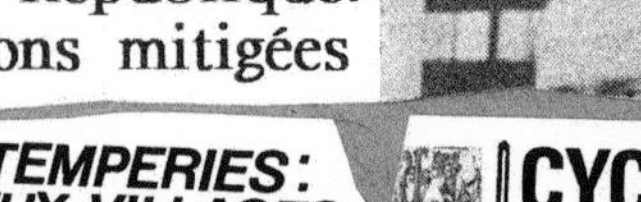
Intervention du Président de la République: réactions mitigées

Rugby: victoire inattendue de la France
L'équipe de France ...

Début des soldes fixé au 10 janvier

AUGMENTATION DES SALAIRES: +2%

INTEMPERIES: DEUX VILLAGES DES ALPES SONT ENCORE ISOLES

CYCLONE ELEONORE: MERCREDI SUR LA MARTINIQUE

SOCIETE
Révision de la loi sur le divorce

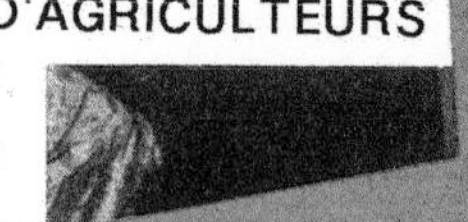
MANIFESTATIONS D'AGRICULTEURS DANS LE LIMOUSIN
Autoroute bloquée, pneus en ... le spectacle

Grammaire Communication
la nominalisation

On utilise souvent dans les titres de journaux des phrases nominales (sans verbe).
Les noms sont en général formés à partir d'un verbe qui peut être parfois modifié.
Noms qui se terminent :
- **par** -tion :
adoption (adopter), augmentation (augmenter), élection (élire), réception (recevoir), construction (construire), réaction (réagir)
- **par** -sion/-ssion :
révision (réviser), suppression (supprimer)
- **par** -ment :
tremblement (trembler), abattement (abattre), commencement (commencer)
- **par** -age :
blocage (bloquer)

D'autres noms sont formés à partir des verbes sans rien ajouter :
fin (finir), début (débuter), baisse (baisser).

Enfin, on utilise parfois des noms différents des verbes :
victoire (gagner), défaite (perdre).

Exercice : la nominalisation

Transformez selon le modèle

La société Transgroup a déposé son bilan → Transgroup : dépôt de bilan.

1. La terre a tremblé hier en Équateur → ....
2. Miss France sera élue ce soir à Marseille → ....
3. L'Olympique lyonnais a battu le Real Madrid → ....
4. Le chef de l'État recevra 1 500 invités pour le 14 juillet → ....
5. L'impôt sur le logement sera supprimé le 1er janvier → ....
6. Un opéra-théâtre va être construit à Rennes → ....
7. Le taux de chômage a baissé de 20 % le mois dernier → ....
8. L'Assemblée nationale a adopté une loi pour protéger les mineurs → ....

REPRISE

OBJECTIFS

Savoir-faire
- caractériser un objet
- caractériser une personne (qualités/défauts)
- donner des consignes

Grammaire
- l'expression de la cause et de la conséquence
- la comparaison

Culture(s)
- changer de nom
- les onomatopées
- l'horoscope

Pour qui, ce sac ?

➊ Écoutez la première série d'enregistrements et attribuez à chaque personnage le sac qui lui convient.

➋ Écoutez la seconde série d'enregistrements et identifiez la personne qui parle.

a

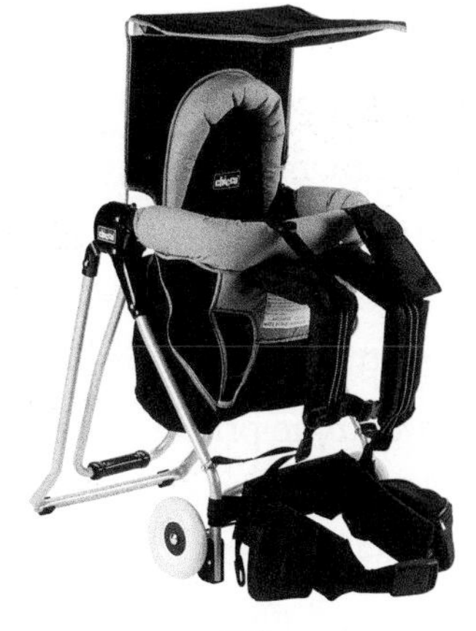

1

b

c

2

d

3

4

Mais pourquoi tout ça ?

❶ Reconstituez des phrases en prenant un élément dans chaque série.

❷ Indiquez, pour chaque partie de la phrase, si elle indique la cause ou la conséquence.

– Grâce à la ceinture de sécurité, des milliers de vies sont sauvées chaque année sur les routes.

Série 1

- à cause des embouteillages
- M. Ganache a obtenu le prix Nobel
- cette manifestation a provoqué d'énormes embouteillages
- les bureaux resteront fermés toute la journée
- un homme prisonnier des flammes a été sauvé
- elles ont causé des inondations spectaculaires
- grâce à l'intervention d'un passant courageux qui n'a pas hésité à plonger dans l'eau glacée
- tous les vols en direction de Marseille, Nice et Montpellier sont provisoirement suspendus

Série 2

- pour ses actions en faveur de la paix
- grâce à l'intervention rapide des pompiers
- les agriculteurs ont manifesté dans le centre-ville en bloquant les rues
- en raison d'une grève de certaines catégories de personnel
- à la suite d'un arrêt de travail des personnels navigants
- un jeune garçon tombé dans la Seine a eu la vie sauve
- j'ai raté mon train
- des précipitations exceptionnelles se sont abattues sur le sud de la France

Grammaire / Communication

expression de la cause et de la conséquence

Vous pouvez indiquer la cause au moyen de locutions comme **parce que**.
*Il n'est pas venu travailler **parce qu'**il était malade.*

Vous utiliserez également des locutions suivies d'un nom : **à la suite de, en raison de, à cause de, grâce à** (qui indique toujours une conséquence positive).
***En raison du** changement de gouvernement, toutes les décisions sont bloquées.*
***Grâce à** son courage, un homme sauve une passante tombée dans la rivière.*

Vous pouvez enfin utiliser des verbes qui introduisent la conséquence : **causer, provoquer**.
*Les fortes pluies **ont provoqué** des inondations.*
*Cet accident **a causé** la mort de deux personnes.*

PARLER

Expliquez-vous !

Imaginez la ou les question(s) qui ont provoqué ces réponses.

1. Parce que je n'ai pas faim.
2. Parce que je suis fatigué.
3. Parce que j'ai mal aux pieds.
4. Parce que c'est un pays magnifique.
5. Parce qu'il conduit comme un fou.
6. Parce que je n'aime pas la ville.
7. Parce que j'ai peur en avion.
8. Parce que je suis née à Londres.
9. Parce que c'est dangereux pour la santé.
10. Parce que je ne sais pas nager.

Beau comme un camion

❶ Faites correspondre une phrase avec la comparaison qui convient.

1. Dans ce bus, on est serré	comme dans un four
2. À la soirée de Joseph, je me suis ennuyé	comme des sardines
3. Allume, il fait noir	comme un chien dans un jeu de quilles
4. Henri ? Il nage	comme un grand
5. Michel est chauve	comme un poisson dans l'eau
6. Dans son nouveau travail, André est à l'aise	comme un rat mort
7. J'ai fait le travail tout seul	comme un bœuf
8. J'ai été mal reçu	comme un voleur
9. Marcel est un véritable athlète, il est fort	comme une boule de billard
10. Olivier ne nous a pas salués, il est parti	comme un fer à repasser

1. C'est un téléphone très pratique, il est léger	comme bonjour
2. Attention ! Cette table est fragile	comme chou
3. Bravo ! Ton explication est claire	comme de l'eau de roche
4. Tu peux faire cet exercice, c'est simple	comme du plomb
5. Je suis allé à un concert, la salle était pleine	comme du verre
6. J'ai trouvé la solution de ces mots croisés, c'est bête	comme un jour sans pain
7. J'ai fait le trajet Dunkerque-Marseille en autocar, c'était long	comme un œuf
8. Qu'est-ce que tu as mis dans ta valise, elle est lourde	comme une plume

❷ Les mêmes expressions existent-elles dans votre langue ? Est-ce qu'il existe des expressions différentes qui ont le même sens ?

Branchez-vous !

Dites à quel appareil correspond chaque mode d'emploi.

1. Remplir d'eau jusqu'au trait la partie inférieure de l'appareil.
2. Placer le panier en plastique sur la partie inférieure.
3. Déposer les aliments à cuire.
4. Fermer à l'aide du couvercle percé.
5. Brancher l'appareil.
6. Régler le minuteur.

① Dévissez le bouchon sur le côté de l'appareil.

② Remplissez d'eau l'appareil.

③ Revissez le bouchon.

④ Branchez l'appareil et appuyez sur l'interrupteur.

⑤ Au bout de quelques minutes, l'appareil produit de la vapeur : il est prêt à fonctionner.

❶ Vérifiez le niveau de l'huile dans la cuve : il doit atteindre le trait du milieu.
❷ Attention ! S'il manque de l'huile, il faut impérativement en rajouter.
❸ Essuyer les pommes de terre dans un torchon propre.
❹ Les déposer dans le panier.
❺ Brancher l'appareil.
❻ Faire chauffer l'huile jusqu'à l'extinction du voyant rouge.
❼ Faire descendre le panier dans la cuve.

1. Branchez l'appareil.
2. Remplissez le réservoir d'eau tiède.
3. Placez un embout à l'extrémité de l'appareil.
4. Réglez la puissance du jet à l'aide de la molette graduée de 1 à 8.
5. L'appareil est prêt à fonctionner.

Quel drôle de nom !

Écoutez et, en vous servant des documents, dites si la demande de changement de nom est possible ou non.

– *Je voudrais savoir comment faire pour changer de nom ?*
– *Vous vous appelez comment ?*
– *Adam Labrosse !*
– *Vous êtes français ?*
– *Oui.*
– *Vous êtes marié ?*
– *Oui.*
– *Vous avez des enfants ?*
– *Oui, j'ai un fils de 14 ans.*

DEMANDE DE CHANGEMENT DE NOM

Vous pouvez demander à changer de nom à cause d'un :
– nom ridicule,
– nom à consonance étrangère,
– nom pouvant porter préjudice.

Qui peut faire la demande ?
– Les ressortissants français, pour eux, leur femme et leurs enfants s'ils sont d'accord. L'épouse n'a pas à faire de demande personnelle.
– Les étrangers qui souhaitent acquérir la nationalité française peuvent faire la demande de francisation de leur nom en même temps que leur demande de naturalisation.

Coût de la demande
Vous aurez à payer les droits de sceaux, soit 152,45 € par personne majeure, plus environ 137,20 € de frais de publication.

CHANGER DE NOM

En France, il faut une bonne raison pour changer de nom. Il faut être français, avoir l'accord des mineurs de plus de 13 ans, et du conjoint. Il faut adresser une demande au ministre de la Justice.
Les étrangers peuvent aussi faire une demande de francisation de leur nom en même temps que leur demande de naturalisation ou un an après l'acquisition de la nationalité française. Si votre prénom vous gêne, vous pouvez aussi le faire modifier.

Le Premier ministre,
Sur le rapport du garde des Sceaux, ministre de la Justice,
décrète :
Art. 1er – Sont autorisés à changer leur nom de :

AL FAKIR en JOURDAIN
AOUALI en FROMENT
BOUCHER en GRENIER
BOUDIN en MOREAU
BOULADJERAF en LAVAINNE
COCHON en COCHIN
CONNART en COTTERET
CRETIN en BONNET
DA SILVA PEREIRA en PEREIRA
DAHDOUH en DURAND
LACRUCHE en VAILLANT
LEPORC en LEPARC
MORUE en MOREL
MOUCHE en LE BIGOT
PEREZ-PEREZ en PEREZ
PINPIN en DORPHIN
PODEVIN en DUDORET
POULET en PENOT
POULL en DESCARTES
PTYCZYN en AUBERT
RANDRIANOELINA en RAMARSON
RINGARD en DUVAL
SADIK en SANIER
SALAUD en SALAND
SELLAM en GILLES de PELICHY
SOUSA DA SILVA en GAILLARD
ZIDANE en STUDER

Journal officiel

Chic ! Zut ! Bof !

Écoutez chaque enregistrement et choisissez parmi les interjections et onomatopées celles que pourrait prononcer chaque personnage.

- Chic !
- Dommage !
- Hélas !
- Flûte !
- Youpie !
- Pffff…

- Heureusement !
- Ouf !
- Zut !
- Enfin !
- Ah non !

- Bravo !
- Ouille ! ouille ! ouille !
- Aïe !
- Ouah !
- Encore !

À vous de jouer !

❶ Écoutez les deux interviews. En utilisant les adjectifs (au masculin ou au féminin selon le cas) de l'horoscope, faites un portrait psychologique des deux personnes.

❷ Engagez la discussion dans la classe pour déterminer le signe astrologique des deux personnes interviewées.

Capricorne
obstiné
créatif
soucieux
intelligent
direct

Bélier
fonceur
irréfléchi
volontaire
entêté
honnête

Cancer
sensible
intelligent
timide
lucide
pessimiste

Balance
équilibré
patient
effacé
fiable
routinier

Verseau
déterminé
brillant
égocentrique
généreux
sévère

Taureau
curieux
entreprenant
obstiné
fidèle
impulsif

Lion
généreux
orgueilleux
dispersé
brillant
habile

Scorpion
généreux
convivial
violent
angoissé
influent

Poisson
calme
audacieux
lucide
inconstant
opportuniste

Gémeaux
créatif
superficiel
contradictoire
diplomate
sociable

Vierge
fidèle
peu entreprenant
sensible
simple
convivial

Sagittaire
créatif
peu fiable
rêveur
sociable
ouvert

Le questionnaire de Proust

Par deux, faites le questionnaire de Proust sous la forme d'une interview.

Questions :

1. Quelle est votre couleur préférée ?
2. Quelle est votre fleur préférée ?
3. Votre qualité préférée chez une femme...
4. Ce que vous appréciez le plus chez vos ami(e)s.
5. Quelle est votre principale qualité ?
6. Quel est votre principal défaut ?

Grammaire – Communication

goûts, opinion

Pour exprimer ses goûts :
Des verbes : *aimer, apprécier, détester, préférer*

Pour justifier ses goûts :
J'aime parce que c'est + adjectif
C'est + superlatif
C'est la plus belle des fleurs.

Pour caractériser une personne, on peut utiliser des adjectifs qui se rapportent :
– à son intelligence : *brillant, intelligent, créatif, lucide, superficiel, bête...*
– à son caractère : *obstiné, têtu, entêté, irréfléchi, fonceur, impulsif, violent, calme, posé, discret...*
– à son affectivité : *sensible, timide, angoissé, égocentrique...*
– à ses qualités morales : *honnête, opportuniste, malhonnête...*
– à son comportement avec les autres : *sociable, serviable, convivial, fidèle, généreux, inconstant, désagréable, mal élevé...*

Exercice : caractériser une personne

Choisissez l'adjectif qui caractérise le mieux la personne.

1. Paul ne pense qu'à lui. Il est .... (généreux/égoïste).
2. Mireille, quand elle a une idée dans la tête, on ne peut pas la faire changer d'avis !
   Elle est vraiment .... (entêtée/conciliante).
3. Ce garçon est très .... (peu intelligent/brillant), il est sorti premier de Centrale.
4. Aline c'est quelqu'un de très .... (convivial/discret), elle aime bien recevoir des amis.
5. Jacques, tu ne peux pas compter sur lui, il n'est vraiment .... (pas fiable/pas entreprenant).
6. Marc s'intéresse à tout, il est très .... (opportuniste/curieux).
7. Annie, quand elle a quelque chose à dire, elle le dit, elle est .... (hypocrite/franche), au moins.
8. Benoît a quinze idées à la minute, il est vraiment .... (rêveur/créatif).

OBJECTIFS

Savoir-faire
- parler de ses projets

Grammaire
- le futur proche
- le futur simple
- le futur antérieur
- les indicateurs de temps

Écrit
- rédiger un message informatif

Culture(s)
- la France et son histoire
- littérature : Paris sera toujours Paris

Mais que va-t-il se passer ?

Écoutez et dites quel document correspond à chaque enregistrement.

– Nous sommes bien d'accord ? Le manuscrit sera remis fin novembre. En décembre…

1

CALENDRIER
- Fin novembre : remise du manuscrit
- Décembre : choix des illustrations
- Fin janvier : premières corrections
- 1er avril : sortie en librairie

2

Prévisions économiques optimistes pour 2004

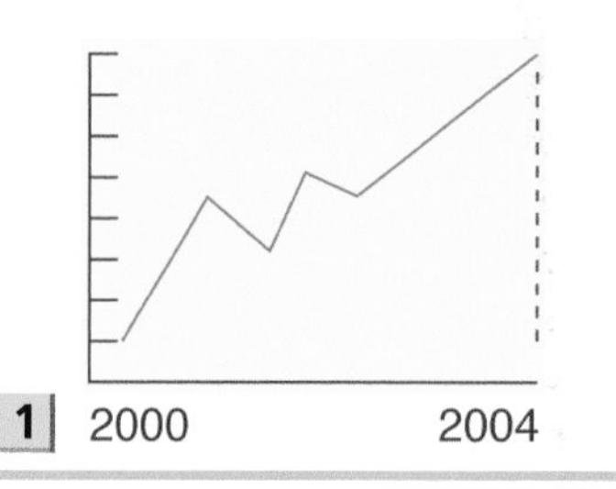

1

L'année prochaine sera désastreuse pour l'économie française, prévoit une enquête de l'INSEE.

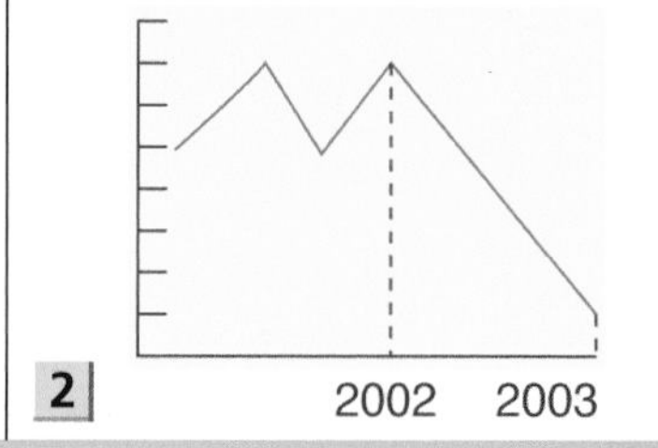

2

1

Dimanche 23 mars
- Arrivée 21 h 30
- Accueil par Mlle Lafleur

Lundi 24, 9 h 30
- Réunion de travail dans nos bureaux du Cap
- Mise au point de votre programme

2

DIMANCHE 23 MARS
Arrivée au village de vacances.
Accueil par l'équipe d'animation.

LUNDI 14 H :
visite de la capitale

Pour ce premier week-end de juin, le soleil dominera sur la totalité du territoire, malgré quelques risques d'orage en fin d'après-midi dans les Alpes et le Massif central.

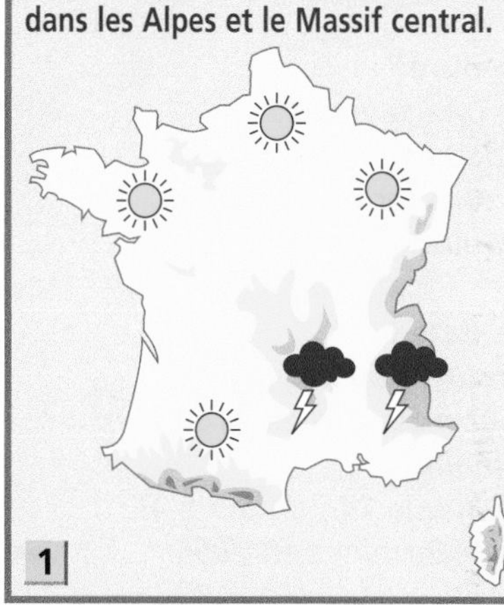

1

Pour ce premier week-end de juin, le soleil dominera sur la totalité du territoire, sauf dans la région parisienne où de violents orages éclateront.

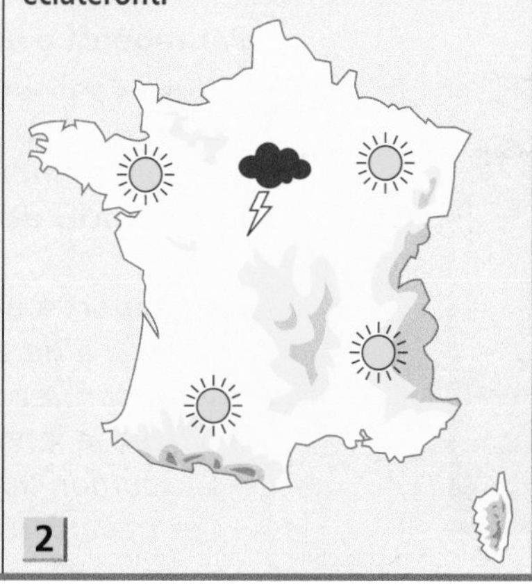

2

Un homme très actif !

Écoutez et dites quel jour chaque enregistrement a été dit.

mercredi 3 mars

samedi 13 mars - dimanche 14 mars

lundi 15 mars

mardi 16 mars

samedi 20 mars - dimanche 21 mars

samedi 27 mars - dimanche 28 mars

Grammaire / Communication

évoquer un moment dans le futur

Par rapport au moment où on parle :
Ce, cet, cette + indication de temps
– *Cette semaine, j'ai beaucoup de travail.*
– *Ce week-end, je vais à Granville.*
– *Où est-ce que tu vas cet été ?*

Remarque : *cette semaine* évoque la semaine en cours, *ce week-end* le week-end prochain, *cette année* l'année en cours.

Par rapport à une durée :
– *Noël, **c'est dans une semaine**.*
– *Je serai absent **deux semaines**.*
– *L'établissement sera fermé **pendant les vacances de Pâques**.*

Par rapport à une date :
– *Je serai à Berlin **du** 14 **au** 27 janvier.*
– *Vous partirez **à** 22 h 50. Arrivée prévue à 6 h 50, **le lendemain**.*
– *La réunion aura lieu **le** 24 juin **à** 9 h 45.*
– *Les travaux seront terminés **en** 2005.*

Vous avez des projets ?

Quand vous parlerez couramment le français, que ferez-vous ?

		choix
a	Travailler dans un organisme international.	
b	Se marier avec un/une Français(e).	
c	Faire du tourisme en France.	
d	Être interprète pour des touristes français.	
e	Faire des études en France.	
f	Être professeur de français.	
g	Travailler dans une firme française à l'Étranger.	

Grammaire

Communication

évoquer le futur sans utiliser le futur simple

Avec le présent :
Pour parler d'un fait établi, certain :
– *Demain, je vais chez ma mère.*
– *Qu'est-ce que tu fais ce week-end ?*
– *Mardi, je ne suis pas là. J'ai une réunion à Paris.*
– *Mon anniversaire ? C'est dans six mois, le 15 octobre.*
C'est la manière la plus fréquente de s'exprimer dans le futur.
Pour préciser quel moment du futur vous évoquez, vous utiliserez un indicateur de temps : ***demain, la semaine prochaine, dans un mois, dimanche, cet après midi, en juillet, pendant les vacances,*** etc.

Avec aller + infinitif
– *Cette année, je vais passer mes vacances à Barcelone.*
– *Il va bientôt rentrer.*

La construction **aller + infinitif** est souvent appelée futur proche, mais, dans la réalité, c'est l'indicateur de temps utilisé qui va indiquer le degré de proximité : ***bientôt, dans une semaine, demain,*** etc.

Quand **aller + infinitif** n'est pas accompagné d'indicateur de temps, il s'agit d'un futur très proche :
– *Bon, je vais y aller !*
– *Dépêche-toi ! La réunion va commencer.*

COMPRENDRE ÉCRIRE

Affiches

Écoutez et rédigez le message correspondant.

– *Allô, secrétariat du lycée Corneille, je vous écoute.*
– *Bonjour, c'est monsieur Kanter, le professeur de philo. Je suis « enrhubé ». Je ne pourrai pas assurer mes cours de cet après-midi. Vous pourriez prévenir mes élèves de terminale ?*

Grammaire

Communication

évoquer le futur avec le futur simple

On utilise souvent le présent pour évoquer un événement futur mais on utilise naturellement le **futur simple** dans certaines circonstances :

Pour exprimer une décision, une promesse :
– *Demain je serai à l'heure.*
– *Je prendrai l'avion, c'est plus rapide.*
– *On terminera ça demain.*

Pour prévenir :
– *Demain, je ne serai pas là avant midi.*
– *Je serai absent pour deux jours.*

Pour donner un ordre, un conseil :
– *Vous ferez attention, c'est fragile.*
– *Vous me prendrez un rendez-vous à la banque pour demain après-midi.*

Pour donner une consigne :
– *Vous prendrez deux cuillères à café de sirop, matin, midi et soir pendant une semaine.*

Pour exprimer une prévision :
En 2050, il y aura 8 milliards d'habitants sur la Terre.
Demain, il fera beau et chaud sur l'ensemble du pays…
Le XXIe siècle sera le siècle de la communication.

Pour exprimer une demande (relations marchandes) :
– *Je prendrai une salade de tomates en entrée.*
– *Vous me donnerez un kilo de pommes et une livre de fraises.*

Dans des phrases avec quand :
– *Vous me préviendrez quand il arrivera.*
– *Je ne sais pas quand je rentrerai.*

Exercice : les valeurs du futur

Écoutez et, pour chacun des dix enregistrements, identifiez l'intention de communication.

intention	1	2	3	4	5	6	7	8	9	10
formuler une promesse										
donner une prévision										
donner un conseil										
exprimer un ordre										
exprimer une décision										

Chaque chose en son temps

Écoutez et dites dans quel ordre chronologique se déroulent les événements évoqués.

– Tu regarderas la télé quand tu auras fini tes devoirs !

dialogue témoin
- regarder la télévision
- faire ses devoirs

1.
- faire la vaisselle
- manger

2.
- terminer le travail
- partir

3.
- préparer le repas
- faire le ménage

4.
- changer la roue
- vérifier l'huile

5.
- écrire un livre
- partir en vacances

Grammaire \ Communication

le futur antérieur

Morphologie

On forme le futur antérieur en utilisant l'auxiliaire **être** ou **avoir** au futur simple suivi du participe passé.

*– Il **aura terminé** les travaux avant l'été.*

*– On ira la voir quand il **sera parti**.*

je	serai parti(e)	j'	aurai terminé
tu	seras parti(e)	tu	auras terminé
il/elle	sera parti(e)	il/elle	aura terminé
nous	serons parti(e)s	nous	aurons terminé
vous	serez parti(e)s	vous	aurez terminé
ils/elles	seront parti(e)s	ils/elles	auront terminé

Emploi

Le futur antérieur permet de parler d'un événement futur, antérieur à un autre événement.

– Quand tu auras fini, appelle-moi !

– Quand vous aurez tapé cette lettre, vous pourrez en faire quatre copies ?

Exercice : futur / futur antérieur

Écoutez et dites si c'est le futur ou le futur antérieur que vous avez entendu.

	futur	futur antérieur
1. Je crois que je n'aurai pas le temps.		
2. Je n'aurai pas fini avant midi.		
3. Quand vous l'aurez retrouvé, prévenez-moi !		
4. J'aurai terminé vers 5 heures.		
5. Quand est-ce que vous aurez terminé ?		
6. À cette heure-là, je serai déjà partie.		
7. Quand est-ce que vous pourrez le rencontrer ?		
8. Je serai là vers 15 heures, 15 heures 30...		
9. Non, pas maintenant, quand vous aurez fini de manger.		
10. Nous serons tous là...		

Culture(s)

LA FRANCE ET SON HISTOIRE

Quand on se promène dans les rues des villes de France, quand on prend le métro, quand on écoute la radio, quand on va au cinéma, les grands moments de l'histoire de France, les hommes et les femmes qui les ont fait vivre, sont évoqués à travers des noms de rues, de places ou d'avenues, de stations de métro, à travers des chansons et des films.
Cette célébration de l'histoire n'est pas, bien sûr, caractéristique de la France. Si certains lieux comme à Paris la gare d'Austerlitz et l'avenue de Wagram célèbrent une victoire napoléonienne, il en va de même pour les Anglais à Londres, avec la gare de Waterloo ou Trafalgar Square. Victoire pour les uns, défaite pour les autres.
Certaines villes sont définitivement associées à des événements passés. C'est le cas de Rouen où a été brûlée Jeanne d'Arc, de Colombey-les-Deux-Églises, village natal de Charles de Gaulle, d'Évian (accords d'Évian mettant fin à la guerre d'Algérie). L'Europe, maintenant unie, a réussi à oublier ce passé guerrier. Espérons que les noms de rues, de places et d'avenues du futur ne porteront désormais que des noms de fleurs, de poètes ou d'artistes.

L'histoire est aussi présente dans la langue à travers certaines expressions :
Si l'équipe de France de football perd un match 6-0 on entendra les commentateurs dire « C'est la Bérézina ! » ou encore « Quel coup de Trafalgar ! » en souvenir de deux défaites de Napoléon.
« Ce n'est pas Versailles » signifie que l'endroit n'est pas luxueux, qu'il n'est pas comparable au Château de Versailles où vivait le roi Louis XIV.
Si un produit pour désherber le jardin a pour nom Attila, c'est en souvenir du barbare Attila (ve siècle) dont on a dit : « Là où Attila passe, l'herbe ne repousse pas. »

Chansons et histoire

Écoutez les extraits de chansons et dites quels événements ou personnages historiques ils évoquent.

Culture(s)

L'histoire dans la ville

❶ Dites quels événements évoquent les photos suivantes.

❷ Que diriez-vous à un visiteur français pour lui expliquer les traces de l'histoire de votre pays qu'il rencontrera ici et là au cours de son voyage ?

a

b

c

d

e

f

g

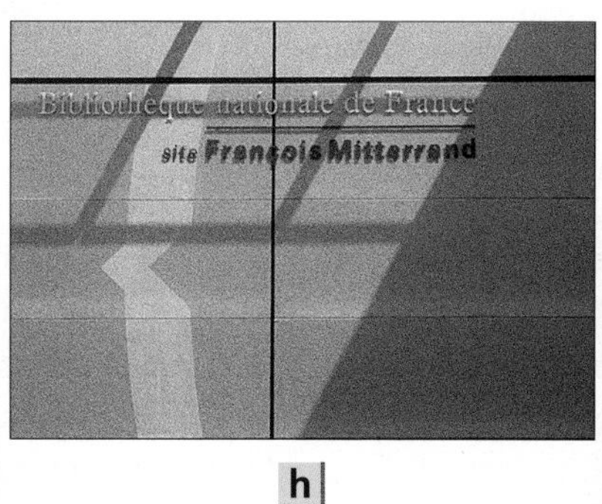

h

i

Paris sera toujours Paris

Repérez sur le plan certains des lieux cités dans les textes littéraires suivants.

Paris : le nom de la capitale française est présent dans de nombreux titres d'œuvres littéraires célèbres : *Les Mystères de Paris* (Eugène Sue), *Notre-Dame de Paris* (Victor Hugo), *Le Ventre de Paris* (Émile Zola), *Les Tableaux parisiens, Le Spleen de Paris* (Charles Baudelaire), *Le Vin de Paris* (Marcel Aymé), *Un idiot à Paris* (René Fallet), etc. Ses quartiers, ses places, ses avenues et ses rues, ses monuments sont souvent mentionnés et décrits à travers toute la littérature française : Paris est un personnage littéraire...

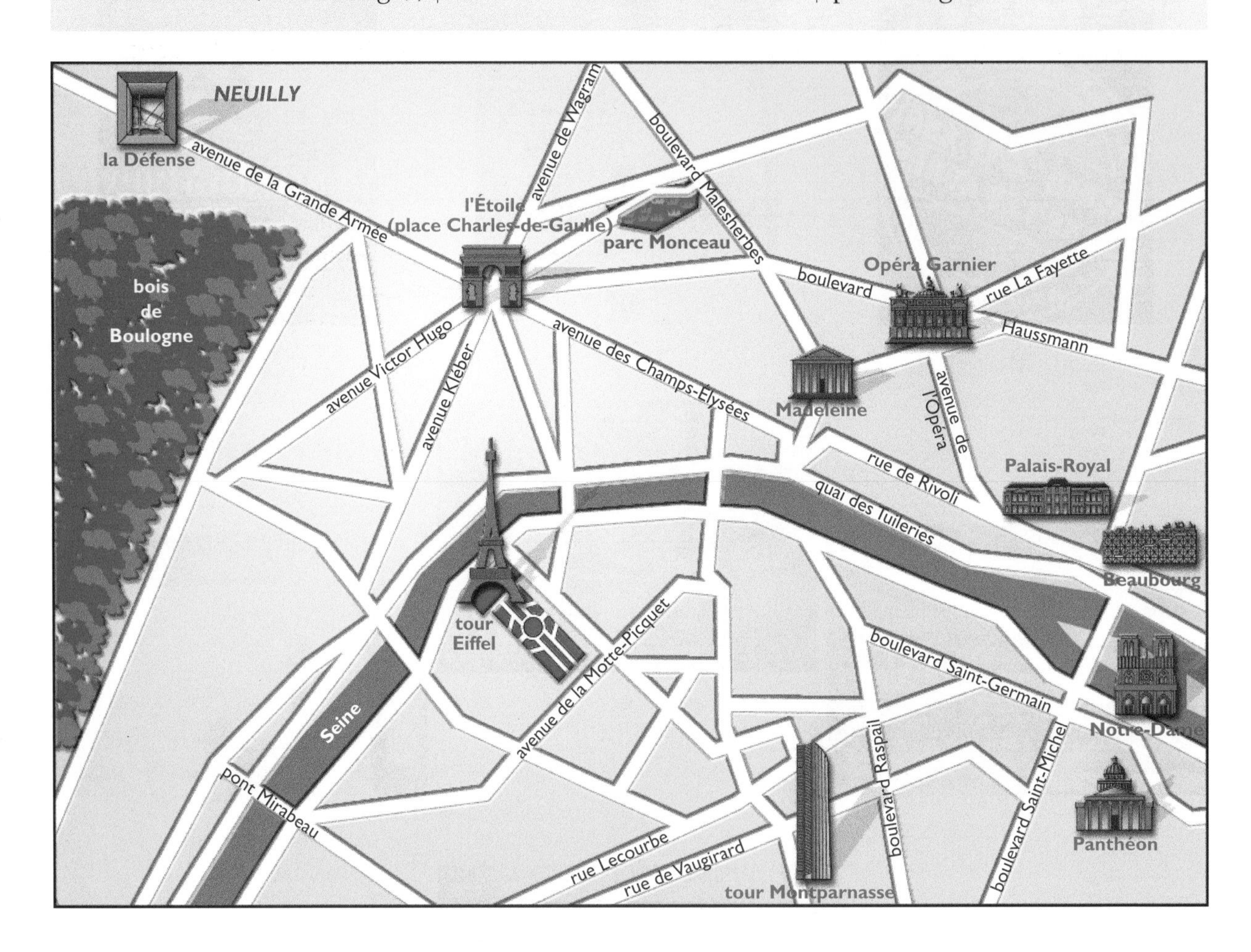

Ce dimanche, Paris était vide, oui, enfin. Tout entier jeté hors de Paris. Peut-être sur les bords d'une Marne de mazout, ou à Vincennes, ou à Boulogne, ou sur les autoroutes, ou n'importe où, mais il n'était plus là. Et l'on s'apercevait alors que cet arbre était beau sans la forêt. Que l'avenue de l'Opéra, placide au soleil d'août, avait le charme de certain presbytère, avec ses quelques Américains taillés dans le Rolleiflex, ses quelques couples d'amoureux, ses quelques voitures intimidées et silencieuses. Que les arcades de la rue de Rivoli pouvaient avoir quand on leur foutait la paix, comme un faux air de sous-bois. Que l'on pouvait vivre dans cette ville mais que nul n'y vivait en temps ordinaire.

René Fallet (1927-1983), *Paris au mois d'août.*

Qu'il fasse beau, qu'il fasse laid, c'est mon habitude d'aller sur les cinq heures du soir me promener au Palais-Royal. C'est moi qu'on voit toujours seul, rêvant sur le banc d'Argenson. Je m'entretiens avec moi-même de politique, d'amour, de goût ou de philosophie. J'abandonne mon esprit à tout son libertinage. Je le laisse maître de suivre la première idée, sage ou folle qui se présente, comme on voit dans l'allée de Foy nos jeunes dissolus marcher sur les pas d'une courtisane à l'air éventé, au visage riant, à l'œil vif, au nez retroussé, quitter celle-ci pour une autre, les attaquant toutes et ne s'attachant à aucune. Mes pensées, ce sont mes catins.

Denis Diderot, *Le Neveu de Rameau.*

La tour translatoire

La tour Eiffel perd ses cheveux
ce sont les fils de la Vierge
le Christ aussi est fils de la Vierge
allez me traduire ça en anglais !

Raymond Queneau, *Courir les rues.*

C'est la ville aisée, aux rues sans âme, sans commerce, aux rues indistinguables, blanches, pareilles, toujours recommencées. Cela remonte vers le nord, cela redescend vers le sud, cela coule le long du bois de Boulogne, cela se fend de quelques avenues, cela porte des squares comme des bouquets accrochés à une fourrure de haut prix. Cela gagne vers le cœur de la ville par le quartier Marbeuf et les Champs-Élysées, cela se replie de la Madeleine sur le parc Monceau vers Pereire et ce train de ceinture qui passe rarement dans une large tranchée de la ville, cela enserre l'Étoile et se prolonge par Neuilly plein d'hôtels particuliers, dont la nostalgique chevelure d'avenues vient traîner jusqu'aux quais retrouvés de la Seine.[…] Les beaux quartiers…

Louis Aragon, *Les Beaux Quartiers.*

Le Pont Mirabeau

Sous le pont Mirabeau coule la Seine
Et nos amours
Faut-il qu'il m'en souvienne
La joie venait toujours après la peine

Vienne la nuit sonne l'heure
Les jours s'en vont je demeure

Les mains dans les mains restons face à face
Tandis que sous
Le pont de nos bras passe
Des éternels regards l'onde si lasse

Vienne la nuit sonne l'heure
Les jours s'en vont je demeure

L'amour s'en va comme cette eau courante
L'amour s'en va
Comme la vie est lente
Et comme l'Espérance est violente

Vienne la nuit sonne l'heure
Les jours s'en vont je demeure

Passent les jours et passent les semaines
Ni temps passé
Ni les amours reviennent
Sous le pont Mirabeau coule la Seine

Vienne la nuit sonne l'heure
Les jours s'en vont je demeure

Guillaume Apollinaire, *Alcools.*

1. Compréhension orale

Écoutez l'enregistrement et remplissez le questionnaire (vrai /faux).

		vrai	faux
1	Ils sont partis en vacances le 14 juillet.		
2	Il y avait du monde sur les routes parce que c'était le week-end du 14 juillet.		
3	Ils sont allés à Vallauris pour la première fois.		
4	Il a fait beau la première semaine.		
5	Ils n'ont pas eu le temps de jouer aux cartes ni de lire.		
6	Ils allaient à la pêche aux crevettes et aux coquillages tous les matins.		
7	Ils n'avaient pas le temps de faire la sieste.		
8	Il y a eu une fête deux jours avant leur départ.		
9	Ils sont revenus le 13 juillet.		
10	Ils retourneront à Vallauris l'année prochaine.		

2. Expression écrite

Faites un compte rendu de ce voyage.

PROGRAMME DE LA RENCONTRE AVEC LES CORRESPONDANTS ROUMAINS

Samedi 11 octobre 2003
8 h 07 : accueil à la gare.
8 h 45 : petit déjeuner à la mairie.
10 h : installation dans les familles.

Dimanche 12 octobre
8 h 30 : visite de la ville et de ses principaux monuments.
13 h : déjeuner au restaurant La Cloche d'or.
Après-midi libre.

Lundi 13 octobre
10 h : accueil au collège Condorcet.
12 h : rencontre avec les professeurs.
13 h : déjeuner à la cantine du collège.
14 h à 17 h : accueil dans les classes.

Mardi 14 octobre
8 h 30 : rencontre avec le directeur du Centre d'Enseignement des Langues Appliquées.
10 h : visite au Centre Régional Pédagogique.
12 h 30 : repas.
15 h : rencontre avec les représentants de l'Association des Amitiés franco-roumaines.
21 h : soirée théâtre : spectacle *L'amie de ma sœur.*

Mercredi 15 octobre
11 h : pot d'adieu à la mairie en présence de madame la députée-maire.
12 h 30 : repas avec les familles d'accueil.
15 h : départ pour la gare.
15 h 32 : départ du train.

3. Compréhension orale

Écoutez et complétez le dialogue suivant.

– Allô, Ali ?
– ...
– Très bien. Et toi ?
– ...
– Dis-moi, je t'appelle à propos de l'anniversaire de Roxane. Tu as une idée de cadeau ?
– ...
– Oui, c'est une bonne idée mais je crois qu'elle en a déjà un.
– ...
– Tu crois ?
– ...
– Et si on lui offrait un sac à main ?
– ...
– Tu es sûr ?
– ...
– Alors on pourrait se mettre à plusieurs, avec Alain, Josette et Bernadette et acheter quelque chose de bien...
– ...
– Je sais que son lecteur de DVD est tombé en panne...
– ...
– On pourrait y aller lundi ?
– ...
– Le problème, c'est que ma voiture est au garage jusqu'à mercredi soir.
– ...
– Ah ! oui, c'est bien. Je suis libre toute la matinée.
– ...
– Eh bien d'accord. Je t'attends à 9 h et demie.
– ...
– D'accord. Salut, Ali !

4. Compréhension écrite

Écoutez l'enregistrement et trouvez le seul article qui corresponde à une information donnée par la radio.

1. Hier soir, le Premier ministre, M. Jouffroy d'Abbans, a décoré M. Rastignin, artiste local bien connu, en reconnaissance de l'originalité de son œuvre.

2. Monsieur Abbans Dessous a lancé sa campagne électorale lors d'un meeting tenu à l'occasion de l'inauguration de la statue de Jouffroy d'Abbans.

3. Pour favoriser le transport entre deux quartiers de sa commune, le maire d'Abbans, fervent défenseur du transport fluvial, inaugurera une nouvelle écluse qui portera le nom du marquis de Jouffroy.

4. Une péniche chargée de plusieurs dizaines de tonnes de blé s'est échouée à la suite d'une fausse manœuvre d'un éclusier.

OBJECTIFS

Savoir-faire
- exprimer la cause et la conséquence
- exprimer l'hypothèse
- exprimer l'opposition

Grammaire
- les articulateurs logiques
- la nominalisation

Écrit
- rédiger un avis officiel

Culture(s)
- l'évolution de la langue

Faits et causes

Écoutez et mettez en relation les faits évoqués et les causes de ces faits.

INFORMATION À NOTRE AIMABLE CLIENTÈLE

Suite aux travaux de rénovation
et d'agrandissement de notre magasin,

L'ENTRÉE EST MAINTENANT SITUÉE
AU N° 12 DE LA RUE CHAMPOLLION.

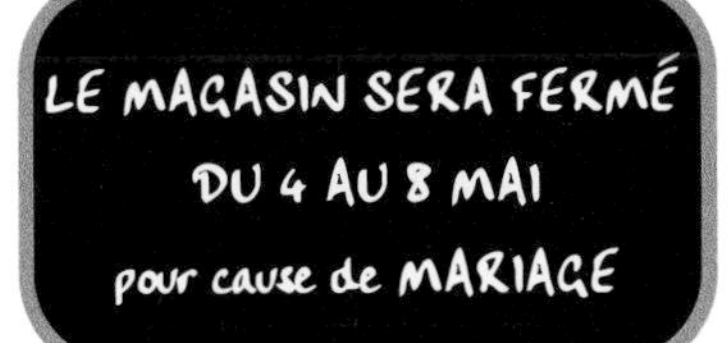

En raison du tournage du film « Taxi 5 »,

L'ACCÈS À L'AVENUE DES CHAMPS-ÉLYSÉES
SERA INTERDIT
<u>LUNDI 10 AOÛT DE 8 H 30 À 19 H.</u>

Tout s'explique !

Écoutez et dites si les explications données sont bonnes ou mauvaises.

Pourquoi, dans les pays arabes, verse-t-on le thé de très haut au-dessus du verre ?

Nous avons tous admiré, si ce n'est été tentés de reproduire, le beau geste du service du thé dans les pays arabes : d'abord très près du verre, la théière est montée en hauteur avant d'être redescendue jusqu'au verre quand celui-ci est plein. Et tout cela, sans qu'aucune goutte ne soit renversée ! Si elle impressionne les voyageurs, ce n'est cependant pas le but premier de cette tradition, qui est plutôt une affaire de physique. La solubilité d'un gaz dans un liquide diminue en fonction de la température : l'oxygène dissous dans l'eau forme de grosses bulles qui s'échappent du liquide lorsque l'eau bout pour la préparation du thé. Et c'est parce que l'eau, débarrassée de son air, est moins digeste, que les Arabes versent le thé si haut au-dessus du verre. Pendant sa chute dans le verre, le thé se réoxygène devenant ainsi plus digeste !

Pourquoi Azerty et Qwerty et non ABC ?

« Azerty » en France, « Qwerty » chez les Anglo-Saxons, la position des lettres sur les claviers des ordinateurs n'est pas des plus logiques. Si on devait aujourd'hui concevoir un clavier sans tenir compte des habitudes des millions d'utilisateurs de l'« Azerty », ce n'est pas dans cet ordre que les lettres seraient positionnées. En fait, ce désordre alphabétique est né à la fin du XIXe siècle, à l'époque des balbutiements de la machine à écrire. Sur les premières de ces machines, commercialisées par Remington dès 1873, les lettres étaient rangées dans l'ordre alphabétique. Cette disposition, si elle permettait aux secrétaires de taper à vitesse élevée, posait des problèmes techniques : les rayons portant les lettres n'allaient pas assez vite et se bloquaient sur le ruban encreur de la machine. Pour ralentir la vitesse de frappe des secrétaires et éviter que des lettres voisines ne soient trop souvent sollicitées, l'ingénieur américain Christopher Latham Sholes eut l'idée de tenir compte de la fréquence d'utilisation de chaque lettre et de concevoir un clavier sur lequel les lettres les plus souvent utilisées seraient relativement éloignées. C'est ainsi qu'est né aux États-Unis le clavier « Qwerty », adapté en France en clavier « Azerty ».

Grammaire / Communication

cause / conséquence

Pour lier deux faits entre eux dans un rapport de cause / conséquence, vous pouvez utiliser :

- pourquoi / parce que

– ***Pourquoi*** *est-ce que tu ne viens pas te baigner ?*
– ***Parce qu'****il fait froid !*
Mais l'utilisation de **pourquoi** et **parce que** n'est pas obligatoire :
– *Tu ne viens pas te baigner ?*
– *Non, il fait froid !*

- à cause de / grâce à

À cause de annonce une conséquence négative.
Grâce à annonce une conséquence positive :
L'accident a eu lieu ***à cause du*** *brouillard.*
L'incendie n'a pas fait de dégâts, ***grâce à*** *l'arrivée rapide des pompiers.*

- en raison de, à la suite de

En raison du *mauvais temps, le match a été annulé.*
La réunion a été annulée ***à la suite d'****une panne d'électricité.*

- **avec des verbes comme** provoquer, causer

Le brouillard ***a provoqué*** *de nombreux accidents.*
La tempête ***a causé*** *d'importants dégâts dans tout le sud du pays.*

- **avec des expressions comme** être à l'origine de / être responsable de / être dû à

L'accident ***est dû au*** *brouillard.*
C'est l'imprudence qui est ***à l'origine de*** *cet incendie.*
On ne sait pas qui ***est responsable de*** *cet incident.*

Exercice : positif ou négatif ?

Dites si la conséquence évoquée (en gras) est positive ou négative.

		positive	négative
1	À cause de toi, **je vais être en retard.**		
2	Grâce à son courage, **l'accident a pu être évité.**		
3	Excuse-moi, **c'est cassé.** Tout est de ma faute.		
4	**Les routes sont dangereuses** à cause des mauvaises conditions climatiques.		
5	En raison d'un mouvement de grève d'une partie du personnel **certains trains risquent d'être retardés ou annulés.**		
6	La pollution est à l'origine de **l'effet de serre.**		
7	**Le réchauffement de la planète** est dû aux émanations de gaz carbonique dans l'atmosphère.		
8	C'est grâce à lui que **j'ai trouvé du travail.**		

Avis à la population !

Écoutez et rédigez l'affiche correspondant à chaque conversation.

– *Tu feras attention demain ! Le stationnement est interdit entre la rue de la Paix et la rue Saint-Amour.*
– *Ah bon ? et pourquoi ?*
– *C'est le 14 juillet. Le défilé militaire passe par là !*

ARRÊTÉ MUNICIPAL

En raison du passage du défilé du 14 juillet, le stationnement sera INTERDIT RUE DE LA PAIX ET RUE SAINT-AMOUR, du samedi 13 à 18 h au dimanche 14 juillet, 20 h. Les véhicules stationnés dans ces rues seront immédiatement mis à la fourrière.

Exercice : cause / conséquence

Complétez en utilisant parce que, à cause de, en raison de, à la suite de, grâce à, causer, provoquer.

1. Le départ du Premier ministre du gouvernement .... une grave crise politique.
2. .... aux dons recueillis, les victimes de cette catastrophe recevront des vivres et des couvertures.
3. .... d'un incident sur la ligne Paris-Lyon, le trafic est interrompu depuis ce matin.
4. L'élection de M. Larose .... une grande surprise dans le pays.
5. .... de l'intervention télévisée du président de la République, tous les partis ont manifesté leur satisfaction.
6. .... d'un sondage sur l'éducation, le ministre s'est déclaré très satisfait.
7. .... de sa négligence, un homme a provoqué un incendie.
8. .... des services rendus à son entreprise, M. Dupuis a obtenu la médaille du Travail.

Attention danger !

À partir des images, imaginez les conséquences.

Exercice : cause / conséquence, différentes formulations

Dites ce que signifie chaque enregistrement.

1. ■ Je suis en retard.
   ■ Je vais vous offrir quelque chose à boire.
   ■ Non, merci, je ne bois pas.

2. ■ Merci, c'est l'heure. Il faut que je me lève.
   ■ Debout ! Il est cinq heures !
   ■ Tu sais qu'il y a 10 heures de décalage horaire avec la France ?

3. ■ Vous ne pouvez pas rouler plus vite ?
   ■ Merci beaucoup, je n'avais pas envie de partir !
   ■ Bravo ! Je suis à l'heure ! Je vous dois combien ?

4. ■ Il fait beau en Europe.
   ■ Le mauvais temps aux Açores est dû aux intempéries.
   ■ C'est à cause de l'anticyclone des Açores qu'il pleut sur la plus grande partie de l'Europe.

5. ■ On reste à la maison à cause du soleil.
   ■ Il faut sortir !
   ■ Le soleil brille ! On sort ?

Réponse à tout

Écoutez et, en vous servant des textes, donnez l'explication demandée.

L'ACCENT CIRCONFLEXE

La présence, dans certains mots, d'un accent circonflexe sur les lettres a, e, i, o, u *(pâte, fenêtre, île, côté, mûr)* a deux explications.

♦ L'histoire de la langue

L'accent circonflexe témoigne de l'existence, à un moment de l'histoire de la langue française, d'un « s » qui a disparu comme dans *hôpital* qui se disait autrefois *hospital*.
On retrouve ce « s » dans des mots de la famille du mot « hôpital » : *hospitalité, hospitalier, hospitaliser.*

♦ Distinguer certains mots

Il existe une deuxième raison à la présence d'un accent circonflexe : celui-ci permet de distinguer certains mots qui s'écrivent de la même façon mais qui ont un sens totalement différent : *mur* et *mûr (le mur du jardin / un fruit mûr), sur* et *sûr (j'en suis sûr / il est sur la table).*

Le « h » aspiré et le « h » muet

En français, il existe deux types de mots qui commencent par la lettre « h » :
– ceux qui commencent par un « h » dit « aspiré » ;
– ceux qui commencent par un « h » dit « muet ».
En réalité le « h » aspiré et le « h » muet sont tous les deux muets car ils ne se prononcent pas.
La seule différence existe au niveau de la liaison qui s'effectue lorsque le « h » est muet *(les habitants, un habitant)* mais qu'il ne faut pas effectuer lorsque le « h » est « aspiré » *(les Hollandais, un Hollandais).*

Quelle est l'explication de ce phénomène ?

Généralement, le « h » est « aspiré » parce que le mot est d'origine germanique, franque ou étrangère : *la honte* (franc), *le hamac* (amérindien), *le hot-dog* (anglais), *le hasard* (arabe).
Il est « muet » lorsqu'il s'agit de mots d'origine latine *(un hôpital, un hiver).*
Mais cette explication n'est pas très utile car il est difficile de connaître l'origine des mots qui commencent par « h ».

Exercice : cause / conséquence

Choisissez la suite qui convient.

1. Ils se sont mariés
   - a. à cause de la tempête.
   - b. parce qu'ils s'aimaient.
   - c. parce qu'il faisait beau.

2. J'ai trouvé du travail
   - a. grâce à ton aide.
   - b. à cause de lui.
   - c. parce que j'ai perdu mon emploi.

3. Je suis en pleine forme
   - a. parce que j'ai passé de bonnes vacances.
   - b. à cause de la grippe.
   - c. parce que j'ai un peu de fièvre.

4. À cause de toi
   - a. j'ai raté mon train.
   - b. j'ai gagné beaucoup d'argent.
   - c. j'ai bien travaillé.

5. Il faut parler plusieurs langues étrangères
   - a. parce que ça ne sert à rien.
   - b. parce que c'est nécessaire au XXIe siècle.
   - c. parce que tout le monde doit parler anglais.

Je sais tout !

Pouvez-vous donner une explication à l'un des phénomènes suivants ?

> *– Pourquoi des milliers de Français et de touristes étrangers passent des heures à crier le long des routes en juillet ?*

- Est-il possible de fêter son anniversaire seulement une fois tous les quatre ans ? Si oui, pourquoi ?

- Est-il vrai que dans l'hémisphère sud, l'eau coule dans l'autre sens que dans l'hémisphère nord. Si oui, pourquoi ?

- Pourquoi, en français, y a-t-il toujours la syllabe « di » dans chacun des jours de la semaine (dimanche, lundi, mardi, mercredi, jeudi, vendredi, samedi) ?

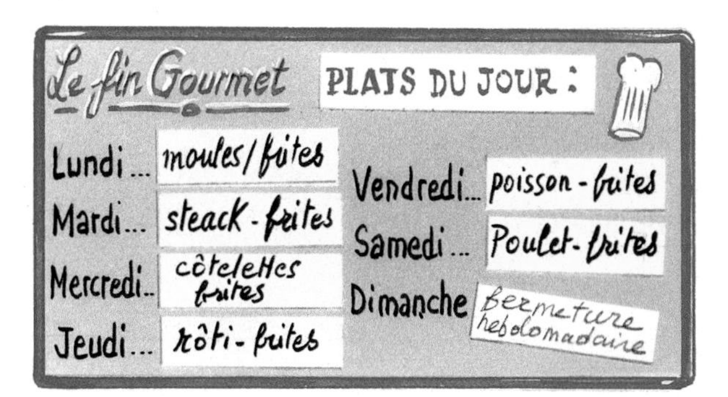

- Pourquoi n'y a-t-il pas de bureau de change lorsqu'on passe la frontière entre la France et l'Allemagne ?

- Pourquoi, dans beaucoup d'hôtels, il n'y a pas de chambre n° 13 ?

- Pourquoi le mardi 13 juillet 2004, quand chacun en France saluera ses collègues à la fin d'une journée de travail bien remplie, le fera-t-il en disant « à jeudi » ?

- Pourquoi est-ce que Claude Lefort, de nationalité française, né en 1956, n'est pas allé voter pour les élections présidentielles de 1974 où Valéry Giscard d'Estaing a été élu président de la République ?

- Pourquoi les dinosaures ont-ils disparu de la planète il y a quelques millions d'années ?

OBJECTIFS

Savoir-faire
- exprimer une hypothèse
- exprimer une éventualité
- exprimer une condition

Grammaire
- les constructions avec *si*

Écrit
- rédiger des consignes

Culture(s)
- la naturalisation

DÉCOUVRIR

De deux choses l'une…

Écoutez, regardez les images, et dites ce qui s'est réellement passé.

Le répondeur vocal

Écoutez les enregistrements et dites sur quelle(s) touche(s) on a appuyé.

– Bienvenue sur le répondeur vocal de « La Femme moderne ». Si vous désirez obtenir un opérateur, tapez « étoile ». Si vous désirez effectuer une commande, tapez « 1 ». Si vous ne désirez rien, raccrochez.
– Allô ? Bonjour !
– Bonjour ! Voilà, je voudrais savoir...

a

b

c

Grammaire

Communication

évoquer une éventualité

Si + présent + présent :
– Si tu sors, tu achètes le journal ?

Si + présent + impératif
– Si tu as le temps, passe me voir !

Si + présent + futur :
– Si vous finissez ce travail à temps, vous aurez une augmentation.

Si + passé + présent ou futur :
– Si tu n'as pas réservé, tu n'auras pas de place.
– Si je n'ai pas appelé avant midi, c'est que je ne peux pas venir.

Il existe d'autres moyens d'exprimer une éventualité :
– Fête des Mères : en cas de pluie, le spectacle aura lieu à la salle des fêtes.
équivalent de :
Fête des Mères : s'il pleut, le spectacle aura lieu à la salle des fêtes.

– Au cas où il y aurait des problèmes, vous pouvez me joindre sur mon portable au 06 09 10 33 45.
équivalent de :
S'il y a des problèmes, vous pouvez me joindre sur mon portable au 06 09 10 33 45.

Pour préciser l'alternative résultant de la formulation d'une hypothèse, vous utiliserez sinon.
– S'il est libre demain, proposez-lui un rendez-vous dans l'après-midi, sinon on se voit dans deux jours au Salon du livre.

Hypothèses

Lisez les messages et formulez les réponses aux questions enregistrées.

– Est-ce que les enfants peuvent entrer ?
– Oui, s'ils sont accompagnés.

1

2

3

Exercice : l'hypothèse avec « si »

Dites ce que signifie chaque phrase.

1. Je vous préviens ! Si vous n'êtes pas là à 10 heures, vous pourrez chercher du travail ailleurs !
   ■ menace ■ promesse ■ proposition
2. Si tu veux, on s'arrête à Lyon pour manger ?
   ■ menace ■ proposition ■ promesse
3. Si je ne suis pas là quand il arrive, offrez-lui un café, faites-le patienter.
   ■ demande ■ ordre ■ proposition
4. Si vous avez besoin de moi, téléphonez-moi.
   ■ proposition ■ ordre ■ promesse
5. Si vous avez terminé avant midi, prévenez-moi !
   ■ demande ■ proposition ■ menace
6. Si vous avez envie de visiter la région, je peux vous prêter ma voiture pour le week-end.
   ■ proposition ■ demande ■ promesse

Comme c'est bizarre...

Répondez aux questions en vous servant des informations données dans les textes.

Truc ANTIROUILLE

Ne vous débarrassez plus de vos vêtements tachés de rouille ! Débarrassez-vous plutôt de la rouille. Disposez la partie « rouillée » du tissu dans une bassine d'eau et pressez-y trois ou quatre citrons verts.
Laissez tremper toute la nuit. La rouille est chassée.

Truc ANTIBEURK

Certains médicaments ont vraiment mauvais goût. Pour ne plus dire « beurk ! », faites fondre dans votre bouche un petit cube de glace avant de les prendre. Votre palais sera insensibilisé et vous ne sentirez plus le mauvais goût.

Œuf dur ou ŒUF CRU ?

Comment distinguer facilement un œuf dur d'un œuf cru ? Il suffit tout simplement de le faire tourner sur une table : l'œuf dur tourne beaucoup plus vite que l'œuf cru.

1. Si on fait tourner en même temps un œuf dur et un œuf cru, c'est l'œuf cru qui tourne le plus vite.
   ▪ vrai ▪ faux ▪ on ne sait pas

2. Si vous faites tourner deux œufs durs en même temps, ils tournent à la même vitesse.
   ▪ vrai ▪ faux ▪ on ne sait pas

3. Si l'on met des citrons verts dans la machine à laver, cela fait disparaître les traces de rouille sur les vêtements.
   ▪ vrai ▪ faux ▪ on ne sait pas

4. Certains médicaments, s'ils sont amers, sont vendus sous forme de cubes de glace.
   ▪ vrai ▪ faux ▪ on ne sait pas

5. Si un médicament a un goût amer, avalez-le en mangeant une glace à la vanille.
   ▪ vrai ▪ faux ▪ on ne sait pas

Naturalisation

Écoutez les enregistrements, consultez le document suivant et dites s'ils peuvent être naturalisés français.

– Le thème de notre émission d'aujourd'hui sera « devenir français ». Est-ce facile, difficile ? Quelles sont les conditions pour obtenir sa naturalisation ? Nous essaierons de répondre à ces questions. Nous attendons vos appels au 01 01 01 33 33.

COMMENT OBTENIR LA NATIONALITÉ FRANÇAISE

Conditions générales pour demander la naturalisation
- Être majeur.
- Résider en France depuis 5 ans.

Conditions de séjour réduites à deux ans si :
- vous avez accompli avec succès deux années d'études dans un établissement d'enseignement supérieur français ;
- vous avez rendu des services importants à la France par vos capacités ou vos talents.

Vous pouvez être naturalisé sans condition de séjour si vous :
- êtes le conjoint ou l'enfant d'une personne qui obtient ou qui a obtenu la nationalité française,
- avez accompli des services militaires dans l'armée française,
- êtes ressortissant d'un État sur lequel la France a exercé sa souveraineté, un protectorat, un mandat ou une tutelle,
- avez le statut de réfugié,
- êtes ressortissant d'un État dont l'une des langues officielles est le français et que vous êtes francophone,
- avez rendu des services exceptionnels à la France ou si votre naturalisation présente un intérêt exceptionnel pour la France.

Les étrangers qui demandent à être naturalisés doivent justifier de leur assimilation à la communauté française, notamment par une connaissance suffisante du français.

Journal officiel

Que faire en cas de... ?

Écoutez et rédigez les consignes correspondantes.

– À quoi il sert ce bouton rouge ?
Je vais appuyer pour voir.
– Ne faites pas ça ! Trop tard !

1

2

3

Exercice : cause ou condition ?

Complétez le tableau selon le modèle (1) en exprimant, selon le cas, la cause ou la condition.

	condition	cause
1	**Si** je gagne au loto, j'achèterai une maison.	Il a acheté une maison **parce qu'**il a gagné au loto.
2		J'ai perdu quinze kilos parce que j'ai fait un régime.
3		Nous sommes arrivés en retard parce qu'il y avait des embouteillages.
4	Si j'ai mon bac, je partirai en vacances trois mois.	
5		J'ai acheté des tomates parce qu'il n' y avait pas de salade verte.
6	S'il n'y a pas de neige à Courchevel, nous irons en Bretagne.	

OBJECTIFS

Savoir-faire
- transmettre une information
- situer dans le temps
- caractériser

Grammaire
- le passif
- le futur des verbes irréguliers
- les doubles pronoms

Écrit
- comprendre un texte de présentation

Culture(s)
- des héros de bande dessinée

COMPRENDRE

Qui a fait quoi ?

Écoutez et dites quelles informations correspondent à chaque image.

Georges Laplume, journaliste au Courrier du Nord, *a longuement été interrogé par la police.*

Le correspondant du Courrier du Nord, *Georges Laplume, a interrogé les policiers.*

a

b

c

Grammaire / Communication

le passif

Il existe plusieurs façons de formuler une information :
– *Le ministère de la Culture organise cette exposition.*
ou
– *Cette exposition est organisée par le ministère de la Culture.*
selon qu'on utilise ou non la forme passive.

Le passif se construit avec le verbe **être** et le **participe passé** du verbe.

Exemple : **accompagner**

présent		**présent passif**	
J'	accompagne	Je	suis accompagné(e)
Tu	accompagnes	Tu	es accompagné(e)
Il/elle	accompagne	Il/elle	est accompagné(e)
Nous	accompagnons	Nous	sommes accompagné(e)s
Vous	accompagnez	Vous	êtes accompagné(e)s
Ils/elles	accompagnent	Ils/elles	sont accompagné(e)s

On procède de la même façon pour mettre le futur, l'imparfait et le passé composé au passif :
– *Je* ***serai accompagné par*** *mes parents.*
– *Il* ***était accompagné par*** *des amis.*
– *Elle* ***a été accompagnée par*** *une amie d'enfance.*

Une nuit agitée

Regardez les images et essayez de raconter cette nuit agitée.

– Tu as l'air fatigué. Tu as mal dormi cette nuit ?

Grammaire / Communication

quand peut-on utiliser le passif ?

Quand on utilise le passif, l'ordre habituel **« qui fait quoi ? »** est inversé et **devient « quoi est fait par qui ? »**.

• La plupart du temps, la signification d'une information formulée avec ou sans forme passive est identique :
– Cette nuit, le brouillard a provoqué de nombreux accidents.
– Cette nuit, de nombreux accidents ont été provoqués par le brouillard.

• On préférera l'emploi du passif pour dire qu'on a subi un événement :
– Cette nuit, j'ai été réveillé par l'orage.
– J'ai été piqué par des moustiques.

• L'utilisation du passif permet d'apporter des précisions sur l'auteur de l'action évoquée :
– Il a été sauvé par un courageux passant...
– Il a été sauvé par un courageux passant... qui n'a pas hésité à plonger dans l'eau glacée.

• Le passif permet également de ne pas identifier l'auteur de l'action, si cette information n'est pas pertinente :
– Il a été opéré ce matin.
ou de le faire, si l'auteur de l'action mérite des précisions :
– Il a été opéré ce matin par le professeur Lavigne, spécialiste mondial de la greffe du cœur.

Ça va changer !

Écoutez et poursuivez les phrases entendues.

– Je suis fière de poser la première pierre de ce parc de loisirs. Dans deux ans, à la fin des travaux…

… ce parc recevra des milliers de visiteurs. Grâce à ce parc, plusieurs centaines d'emplois seront créés dans la région…

Grammaire Communication

morphologie du futur : les verbes irréguliers

• Pour la quasi-totalité des verbes, le futur se construit sur la forme de l'infinitif :

– verbes en « er » :
parler — *je parlerai, tu parleras,* etc.
– verbes en « ir » :
finir — *je finirai, tu finiras,* etc.
– verbes en « re » :
prendre — *je prendrai, tu prendras,* etc.

• Pour les verbes en « er », il y a deux exceptions :

– aller — *j'irai, tu iras,* etc.
– envoyer — *j'enverrai, tu enverras,* etc.

• Pour les verbes en « ir », il y a quelques exceptions dont :

– venir — *je viendrai, tu viendras,* etc.
– tenir — *je tiendrai, tu tiendras,* etc.

• Attention à :

– mourir — *je mourrai, tu mourras,* etc.
– courir — *je courrai, tu courras,* etc.
– cueillir — *je cueillerai, tu cueilleras,* etc.

• Attention aussi à :

– être — *je serai, tu seras,* etc.
– faire — *je ferai, tu feras,* etc.

• Les quelques difficultés relatives à la formation du futur concernent essentiellement les verbes en « oir » :

– devoir — *je devrai, tu devras,* etc.
– recevoir — *je recevrai, tu recevras,* etc.
– apercevoir — *j'apercevrai, tu apercevras,* etc.
– savoir — *je saurai, tu sauras,* etc.
– avoir — *j'aurai, tu auras,* etc.
– vouloir — *je voudrai, tu voudras,* etc.
– pouvoir — *je pourrai, tu pourras,* etc.
– voir — *je verrai, tu verras,* etc.
– falloir — *il faudra.*

Exercice : les formes du futur

Écoutez les enregistrements et relevez les formes du futur. Notez les formes des verbes :

	forme		forme		forme
Être		Savoir		Faire	
Avoir		Pouvoir		Attendre	
Voir		Partir		Prendre	
Parler		Arriver		Aller	

Héros de BD

Les présentations de trois personnages de bandes dessinées ont été mélangées. Reconstituez chacune d'entre elles.

Corto Maltese est né à Malte, d'une gitane andalouse et d'un marin anglais, dans les années 1870. Ce jeune homme parvient toujours à résoudre des énigmes avec ses amis. Pour cela, il a voyagé en Gaule, chez les Bretons, les Belges et même jusqu'à Athènes et Rome.

Astérix vit dans un village peuplé d'irréductibles Gaulois qui résistent aux envahisseurs romains. Sa mère lui a donné son côté gitan et l'amour de la liberté, son père lui a transmis des éléments du monde celtique. Ses aventures l'ont entraîné au Tibet, au Congo ou en Sibérie.

Tintin est un jeune reporter belge, toujours accompagné de son chien Milou, de ses amis, le capitaine Haddock, le professeur Tournesol. Avec son fidèle compagnon Obélix, doué d'une force incroyable, car il est tombé dans la potion magique quand il était petit, il a défendu de nombreuses fois leur village contre les armées romaines. Avec son air pirate et romantique, il a parcouru les mers du monde entier, de Gibraltar aux Caraïbes, de Hong-Kong à la Russie, à la recherche d'aventures originales.

Exercice : maintenant ou plus tard ?

Dites si c'est le moment présent ou un moment futur qui est évoqué, puis identifiez le temps utilisé (présent ou futur simple).

		moment évoqué		temps utilisé	
		présent	futur	présent	futur
1	Je ne peux pas pour l'instant. Je suis en réunion.				
2	Mademoiselle Dubois, je serai absent demain matin.				
3	J'espère que vous viendrez samedi.				
4	Qu'est-ce que vous dites ?				
5	Où est-ce que vous allez pendant les vacances ?				
6	Non, ce n'est pas possible, je ne suis pas là demain.				
7	Mon fils passe son bac dans une semaine !				
8	Je te téléphone en fin de semaine.				
9	Le temps sera beau et ensoleillé sur toute la France.				
10	Je reviens dans une semaine.				

Imaginez ce qui s'est passé entre les deux vignettes.

Exercice : emplois du futur

Dites à quoi correspond l'utilisation du futur.

1. Faites-moi confiance. Je serai à l'heure !
   ▪ prévision ▪ promesse ▪ ordre
2. Soyez prudents ! Il y aura beaucoup de monde sur les routes.
   ▪ conseil ▪ promesse ▪ ordre
3. Mlle Legrand, vous me taperez ce rapport en trois exemplaires.
   ▪ prévision ▪ conseil ▪ ordre
4. Bon, il est midi, nous continuerons après le repas.
   ▪ promesse ▪ demande ▪ décision
5. Ensuite, je prendrai un filet de sole avec des pommes vapeur.
   ▪ demande ▪ prévision ▪ conseil
6. En 2050, les réserves de pétrole seront presque épuisées.
   ▪ prévision ▪ promesse ▪ décision
7. Ne vous inquiétez pas. Votre voiture sera prête pour midi.
   ▪ décision ▪ consigne ▪ promesse
8. Vous prendrez trois cachets par jour pendant une semaine.
   ▪ consigne ▪ décision ▪ ordre

COMPRENDRE

Mais de quoi ils parlent ?

Écoutez et dites à quoi peut se référer chaque enregistrement.

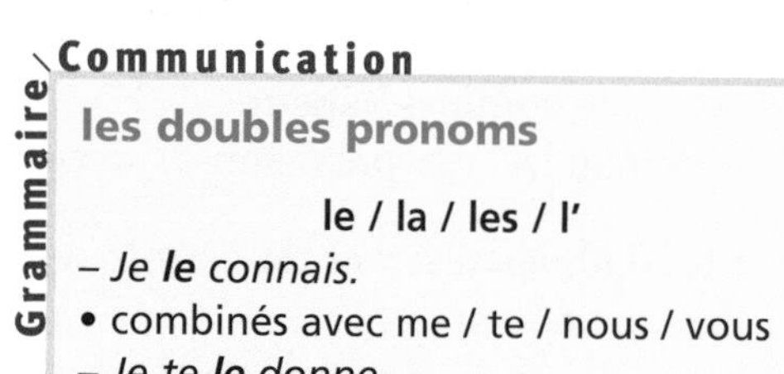

Grammaire / Communication

les doubles pronoms

le / la / les / l'

– *Je **le** connais.*
• combinés avec me / te / nous / vous
– *Je te **le** donne.*
– *Il vous **les** offre.*
• combinés avec lui / leur
– *Je **le** lui donne.*
– *Il **les** leur montre.*

en

– *J'**en** veux.*
• combiné avec me / te / lui / nous / vous / leur :
– *Tu m'**en** donnes ?*
– *Je leur **en** propose ?*
– *Je lui **en** ai déjà donné !*

Remarque : à l'oral, il est fréquent que les Français n'utilisent qu'un seul pronom :
– *Tu lui as prêté ta voiture ?*
– *Oui, je lui ai prêtée.* (au lieu de « *Je **la** lui ai prêtée.* »)

OBJECTIFS

Savoir-faire
- faire des hypothèses
- faire des reproches
- exprimer des regrets

Grammaire
- si + imparfait + conditionnel présent
- si + plus-que-parfait + conditionnel passé

Écrit
- le courrier électronique
- formuler une proposition

Culture(s)
- les enfants en France
- littérature : quelques débuts de romans

DÉCOUVRIR

Si l'on chantait...

Écoutez les extraits de chansons et trouvez la bonne suite.

1. Même si tu revenais, je crois bien que rien n'y ferait, notre amour est mort à jamais. Je souffrirais trop si...
   a. tu t'en allais
   b. tu revenais
   c. tu m'embrassais

Claude François

Boris Vian

2. Ah, si j'avais un franc cinquante...
   a. je t'offrirais la lune
   b. j'achèterais un bateau
   c. j'aurais bientôt deux francs cinquante

3. Si on chantait, si son chantait...
   a. la la la la
   b. ce serait la fête
   c. le soleil serait plus chaud

Julien Clerc

4. Si j'avais les ailes d'un ange...
   a. nous irions tous au paradis
   b. je serais là-haut dans le ciel
   c. je partirais pour Québec

Robert Charlebois

Gérard Lenorman

5. Si j'étais président de la République...
   a. mon pays serait le plus beau
   b. il y aurait partout du bonheur
   c. j'écrirais mes discours en vers et en musique

Dario Moreno

6. Si tu vas à Rio...
   a. n'oublie pas de monter là-haut
   b. n'oublie pas ton beau sombrero
   c. achète-moi un beau chapeau

Courrier électronique

Écoutez et mettez en relation les enregistrements et les documents.

Address

Je sais que tu dois passer un entretien d'embauche pour un poste de directeur commercial à la société Murex.
Je te conseille un petit livre bien utile : *Réussir un entretien d'embauche* aux Éditions pratiques.
Avec tous mes vœux de réussite...

a

Address

Ce matin, la réception de l'hôtel a oublié de me réveiller et j'ai donc raté le rendez-vous prévu à 14 heures avec la direction de Tourisme international. Je vous propose donc de prolonger de quelques jours mon séjour à Rio, ce qui me permettra de reprendre contact avec Tourisme international.

– Bon, c'est d'accord, mais si vous n'étiez pas le fils du patron, vous seriez déjà depuis longtemps au chômage. Mais c'est la dernière fois.

Address

Tu m'as demandé si je connaissais une agence de voyages qui proposait des tarifs intéressants sur l'Afrique.
Un copain m'a indiqué l'agence Tourafrica : il m'a dit que les prix étaient imbattables.

b

Address

Fais attention ! Le patron m'a dit qu'il cherchait un nouvel infographiste pour le nouveau site Internet et qu'il a reçu un curriculum intéressant. Va le voir, et propose-lui un truc intéressant. Je ne voudrais pas que tu te retrouves au chômage.

c

Address

Je viens d'apprendre que mon patron recherche un infographiste pour notre futur site Internet.
Ça correspond parfaitement à ton profil. Tu devrais envoyer ton curriculum, je suis sûr que tu as tes chances !

d

Grammaire – Communication

le conditionnel passé

Le principe de construction du conditionnel passé est semblable à celui qui permet de construire les autres temps composés :

- **futur antérieur :** futur de **être** ou **avoir** + participe passé
  J'aurai terminé. — *Je serai arrivé(e).*
- **plus-que-parfait :** imparfait de **être** ou **avoir** + participe passé
  J'avais compris. — *J'étais sorti(e).*
- **conditionnel passé :** conditionnel de **être** ou **avoir** + participe passé

J'aurais réussi.	Je serais parti(e).
Tu aurais réussi.	Tu serais parti(e).
Il/elle aurait réussi.	Il/elle serait parti(e).
Nous aurions réussi.	Nous serions parti(e)s.
Vous auriez réussi.	Vous seriez parti(e)s.
Ils/elles auraient réussi.	Ils/elles seraient parti(e)s.

Si j'avais su...

Écoutez et pour chaque image dites si elle correspond à ce que vous avez entendu.

a | b | c

formuler une hypothèse avec « si »

Moment évoqué : le futur

- **Si** + présent + présent (ou futur)

*– Demain, s'il **fait** beau, je **vais** me baigner.*

Ce qui signifie que pour demain, il y a deux possibilités :

1. *Il fait beau : je vais me baigner.*
2. *Il ne fait pas beau : je ne vais pas me baigner.*

Vous pouvez préciser l'autre possibilité (avec **sinon**) :

*– S'il fait beau, je vais me baigner, **sinon**, je regarde un film à la télé.*

- **Si** + imparfait + conditionnel présent (pour formuler une proposition, par exemple) :

*– Tiens, si tu **étais** libre ce soir, on **pourrait** aller saluer les Legrand. Ça fait longtemps qu'on ne les a pas vus.*

Moment évoqué : le présent

- **Si** + imparfait + conditionnel présent

*– S'il **faisait** beau, en ce moment, je **serais** à la piscine.*

Ce qui signifie :

Il ne fait pas beau, donc, en ce moment, je ne suis pas à la piscine.

Moment évoqué : le passé

- **Si** + plus-que-parfait + conditionnel passé

*– Si tu m'**avais demandé** ça hier, je t'**aurais aidé** !*

Ce qui signifie :

Tu ne m'as pas demandé ça hier, alors je ne t'ai pas aidé.

Exercice : l'hypothèse

Écoutez et dites si l'hypothèse formulée concerne le moment présent, le futur ou le passé.

		présent	passé	futur
1	Si vous êtes prêts, on peut commencer.			
2	Je vous recevrais volontiers si j'avais le temps.			
3	Si tu vois Pierre quand tu iras à Paris, salue-le de ma part !			
4	S'il faisait beau ce week-end, ça te plairait une petite balade à vélo ?			
5	Si vous me l'aviez demandé, je serais venu tout de suite !			
6	Si vous pouviez m'aider à déménager, ça serait formidable !			
7	Si vous avez fini, vous pouvez partir !			
8	Si tu m'avais laissé faire, j'aurais réglé le problème en 5 minutes.			

Reproches ou remerciements

Regardez les images et imaginez ce que peuvent se dire les personnages.

Exercice : le conditionnel passé

Écoutez et identifiez l'intention de communication formulée dans chaque phrase.

1. Si tu ne m'avais pas aidé, je n'aurais jamais terminé ça à temps !
   ■ reproche ■ remerciement ■ critique
2. Tu aurais pu m'appeler ou me laisser un message sur mon portable. Je t'ai attendu pendant plus de deux heures et à cause de ça j'ai manqué mon train !
   ■ remerciement ■ hypothèse ■ reproche
3. Je ne sais pas comment j'aurais fait si tu n'avais pas été là.
   ■ regret ■ remerciement ■ excuse
4. Si vous aviez suivi mes conseils, il y a longtemps que vous auriez un travail !
   ■ reproche ■ remerciement ■ excuse
5. Tu as eu de la chance ! Tu aurais pu te blesser !
   ■ reproche ■ regret ■ hypothèse
6. Ah ! si j'avais joué le 19 au lieu du 23, j'aurais gagné au loto !
   ■ reproche ■ excuse ■ regret
7. Si j'avais su que tu t'étais couché si tard, je ne t'aurais pas appelé à 8 heures du matin.
   ■ reproche ■ excuse ■ remerciement
8. Jacques aurait pu nous aider, s'il avait voulu.
   ■ excuse ■ reproche ■ remerciement
9. Moi, je n'aurais pas expliqué ça comme ça.
   ■ regret ■ critique ■ justification
10. J'aurais pu lui téléphoner, mais j'ai préféré passer le voir.
    ■ hypothèse ■ critique ■ regret

Exercice : formation du conditionnel passé

Dans les phrases suivantes, conjuguez les verbes à la forme qui convient.

1	Je (arriver) à l'heure si j'avais pris un taxi.
2	Si tu m'(prévenir) hier soir, je serais passé te prendre chez toi en voiture.
3	J'aurais été très heureux de faire la connaissance de votre frère si vous me l'(présenter).
4	Si tu nous avais accompagné(e)s chez Josette et Pascal, ça t'(changer) les idées.
5	Si vous étiez passés chez nous, je vous (faire) à manger.
6	Si le temps s'était amélioré, nous (sortir) en mer sur notre voilier.
7	Pascal t'(répondre) si tu lui avais écrit. Mais tu ne lui as même pas envoyé un mot !
8	C'est ta faute : si tu m'(écouter), tu n'aurais pas tous ces problèmes d'argent !

Pub

Consultez les documents proposés et complétez les courriers suivants.

PROMOTION EXCEPTIONNELLE !
30 % DE RÉDUCTION
sur notre ENCYCLOPÉDIE en 20 volumes !
Cadeau :
un magnifique AGENDA !*
*À condition de répondre sous 10 jours

Cher Monsieur,

Nous vous proposons d'acquérir notre nouvelle encyclopédie en 20 volumes.
Si vous répondez oui à notre proposition,
....
De plus, si vous répondez dans les dix jours,
....
....

Veuillez agréer, cher Monsieur, mes salutations distinguées.

Michel Petitpas, Service clientèle

Réservé aux lectrices de LA FEMME MODERNE
Gagnez un voyage à la Martinique !
Pour cela, il suffit de remplir le questionnaire page 40.
Tirage au sort par huissier le 30 janvier 2002.

Chère Madame Groslier,

• Parce que vous avez toujours été une fidèle lectrice de notre revue *La Femme moderne*,
• Parce que..
....
• Parce que..
....
nous avons le plaisir de vous faire savoir que
....

Avec nos félicitations, veuillez accepter, Madame Groslier, l'expression de notre sincère dévouement.

Grammaire / Communication

formulations avec si + plus-que-parfait + conditionnel passé

Quand on utilise cette construction, c'est pour évoquer un fait qui n'a pas eu lieu, pour exprimer :

• **un regret :**
– *Si j'avais voyagé en train, je n'aurais pas eu cet accident.*

• **un reproche :**
– *Si vous m'aviez prévenu que le rendez-vous était annulé, je n'aurais pas perdu tout ce temps à attendre.*

• **un remerciement :**
– *Si tu ne m'avais pas prêté ta voiture, je n'aurais pas pu aller chez Roseline.*

• **une excuse :**
– *Si je ne t'avais pas indiqué une mauvaise route, tu ne serais pas arrivé en retard.*

Culture(s)

Allons enfants !

Parmi les évolutions constatées en France depuis un demi-siècle, la place, le rôle des enfants, et même leur pouvoir économique dans la société ont subi de profonds changements.

❶ Avez-vous constaté la même évolution dans votre propre société ?

❷ Et votre enfance à vous, comment était-elle ?

Les enfants disposent d'un fort pouvoir d'achat et de prescription

Le taux de prescription (choix du produit à acheter) des 5,2 millions d'enfants de 4 à 10 ans est évalué à 81% pour les jouets, 75% pour les céréales, 67% pour les livres, 64% pour les glaces. Les marques préférées des 4-11 ans sont par ordre décroissant : Nike, Coca-Cola, Kinder, Adidas, Danone, Nestlé, Barbie, Reebok, BN, Lu, Haribo (*Institut de l'enfant*, 1998).

Les enfants tendent de plus en plus à « éduquer » leurs parents, dans des domaines où ceux-ci sont moins compétents qu'eux : informatique, jeux vidéo, musique, cinéma, émissions de télévision. On estime que leurs « conseils » sont suivis dans la moitié des cas.

Le pouvoir d'achat direct des moins de 12 ans représente environ 2,3 milliards d'euros.

Entre 11 et 19 ans, les jeunes disposent en moyenne de 25 euros par mois d'argent de poche. Ils possèdent un peu plus de 750 euros sur leur compte en banque.

- Les Français ont cru au Père Noël jusqu'à 8,2 ans. 17% y ont cru jusqu'à 10 ans et plus, 4% jusqu'à 15 ans et plus. 5% n'y ont jamais cru.
- 40% des Français pensent que leurs enfants pourront un jour partir sur la Lune, 55% non.
- Les enfants de 2 à 19 ans passent en moyenne 2 heures 48 minutes par jour devant un écran de télévision.
- En vingt ans, le nombre de sapins achetés à Noël a diminué de moitié : il était de 6,7 millions en 1998.
- Les adultes sont de grands enfants : ils achètent de plus en plus de bonbons, regardent des dessins animés, se rendent dans les parcs de loisirs (un visiteur de Disneyland Paris sur quatre vient sans enfants).
  Les peluches connaissent un succès grandissant chez les 20-30 ans.

Culture(s)

Monsieur le Président...

❶ **Lisez ces lettres. Choisissez celle que vous trouvez la plus amusante, celle qui comporte le moins de fautes d'orthographe, celle qui pose la meilleure question.**

❷ **Imaginez la réponse que pourrait faire le président de la République à une de ces lettres.**

est 'ce que t'es président parce que ta copine présidente elle est partie en vacances alors tu la remplace ?

Raphaël, 8 ans

Je m'appelle Selim, j'ai sept ans et je n'aime pas aller à l'école. Je sai que ce n'est pas vous qui a inventé l'école. Je sai que c'est Charles Magne. Peut-être que vous pouvez quand même l'arrêter.

Je vous le demande à vous parce-que vous commandez la France.

Selim, 7 ans

Moi je ne vous aime pas car vous étes trop vieux pour jouer au fout.

Baptiste, 8 ans

« C'est vrai que vous habitez dans la République ? »
(Justine, 7 ans)

« Comment se fait-il qu'aucune femme n'ait jamais été présidente ? »
(Oriane, 10 ans)

« Président,
Il faudrait que tu fasses une grosse poubelle sous la terre qui aspirerait les saletés. »
(Louison, 8 ans)

« Que faites-vous pour aider les enfants malades ? »
(Sébastien, 11 ans)

« Tu donnes de l'argent aux pauvres, oui ou non ? »
(Asmaa, 8 ans)

« Pourquoi chaque pays a sa langue et pourquoi toute la terre ne parlerait pas la même langue ? »
(François, 9 ans)

Cher président, Comment vous avez été inscrit pour être président ? Est-ce que c'est difficile ? Je vous demande cela parce que quand je serai grand je voudrais être président. Comme ça je commanderais la république et je pourrais plus faire la bagarre, ce serait mieux.

Iago, 7ans

cher président de la république prenez une grande échelle et montez au ciel ; et demandez au ciel d'être toujours bleu.
alice

Alice, 6 ans

Premières lignes

❶ **Lisez les huit débuts de récits et classez-les par genre en utilisant le tableau page 101.**

❷ **Expliquez comment vous avez fait pour identifier le genre.**

❸ **Faites correspondre le titre de l'œuvre et le nom de l'auteur avec chacun des extraits.**

C'était à Mégara, faubourg de Carthage, dans les jardins d'Hamilcar.
Les soldats qu'il avait commandés en Sicile se donnaient un grand festin pour célébrer le jour anniversaire de la bataille d'Eryx, et comme le maître était absent et qu'ils se trouvaient nombreux, ils mangeaient et ils buvaient en pleine liberté.
Les capitaines, portant des cothurnes de bronze, s'étaient placés dans le chemin du milieu, sous un voile de pourpre à franges d'or, qui s'étendait depuis le mur des écuries jusqu'à la première terrasse du palais ; le commun des soldats était répandu sous les arbres.

1

Vous me demandez, frère, si j'ai aimé ; oui. C'est une histoire singulière et terrible, et, quoique j'aie soixante-six ans, j'ose à peine remuer la cendre de ce souvenir. Je ne veux rien vous refuser, mais je ne ferais pas à une âme moins éprouvée un pareil récit. Ce sont des événements si étranges, que je ne puis croire qu'ils me soient arrivés. J'ai été pendant plus de trois ans le jouet d'une illusion singulière et diabolique.

2

La maison était basse, tout en rez-de-chaussée, avec un humble visage. Près d'une fenêtre ouverte, dans un fauteuil armorié, un homme, un grand vieillard à tête blanche : une de ces rudes physionomies comme en portaient les capitaines qui avaient survécu aux épopées guerrières du temps du roi François Ier.
Il fixait un morne regard sur la masse grise du manoir féodal des Montmorency, qui dressait au loin dans l'azur l'orgueil de ses tours menaçantes.
Puis ses yeux se détournèrent. Un soupir terrible comme une silencieuse imprécation gonfla sa poitrine ; il demanda :
– Ma fille ?... Où est ma fille ?...

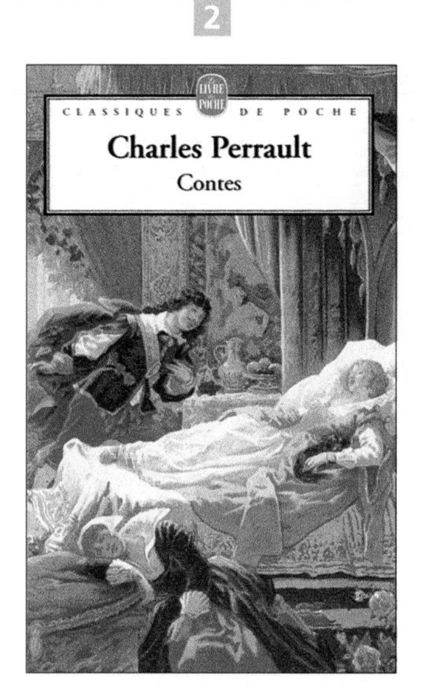

En 2494, à la fin du XXVe siècle – celui que l'on appela plus tard « l'Âge de l'infini » – les Terriens franchirent la zone pourpre de la Galaxie K et, pénétrant dans une ère nouvelle d'ivresse et de gloire, ils annexèrent la première planète de cette Galaxie, un monde que l'on désigna sous le nom de Stryx.

4

Je suis né le 13 mai 18…, dans une ville du Languedoc où l'on trouve, comme dans toutes les villes du Midi, beaucoup de soleil, pas mal de poussière, un couvent de carmélites et deux ou trois monuments romains.

5

Il était une fois une Reine qui accoucha d'un fils, si laid et si mal fait, qu'on douta longtemps s'il avait forme humaine. Une Fée qui se trouva à sa naissance assura qu'il ne laisserait pas d'être aimable, parce qu'il aurait beaucoup d'esprit.

6

Dans un chemin montant, sablonneux, malaisé,
Et de tous les côtés au soleil exposé,
Six forts chevaux tiraient un coche.
Femmes, moines, vieillards, tout était descendu ;
L'attelage suait, soufflait, était rendu.
Une mouche survient, et des chevaux s'approche.

– Je te relis, Job, fit le capitaine de la gendarmerie de Port-Louis. Si tu n'es pas d'accord sur quelque chose, tu me le dis. D'accord ?
Job fit signe qu'il était d'accord et le capitaine commença à lire.
Je rentrais du secteur de Groix avec ma pêche du jour. Il faisait beau. Le coup de noroît avait laissé de sacrés creux mais la houle n'était pas trop rude. Le jour commençait à se lever quand je suis rentré dans la passe du sud…

	choix
un conte	
un roman de science-fiction	
un roman de cape et d'épée	
un roman historique	1
un roman autobiographique	
un roman policier	
un roman fantastique	
une fable	

	choix
La Morte amoureuse, Théophile Gautier.	
Les Stryges in *Entre deux mondes incertains,* Jacques Sternberg.	
Salammbô, Gustave Flaubert.	
Les Pardaillan, Michel Zevaco.	
Arrêtez le carrelage (Le Poulpe), Patrick Raynal.	
Le Petit Chose, Alphonse Daudet.	
Riquet à la houppe, Charles Perrault.	
Le Coche et la Mouche, La Fontaine.	

ÉVALUATION

1. Compréhension orale

Écoutez et faites correspondre le numéro de l'enregistrement et ce qui est exprimé.

Regret	
Cause / conséquence	
Éventualité	
Condition	
Hypothèse	
Reproche	
Remerciement	
Excuse	

2. Expression orale

Choisissez une des questions suivantes et donnez votre explication.

- Pourquoi y a-t-il un accent circonflexe sur le mot fenêtre ?
- Pourquoi est-ce que les Français ne travaillent pas le 14 juillet ?
- Pourquoi est-ce que les Anglais doivent changer leur argent quand ils vont en France ?
- Pourquoi est-ce que la température moyenne de la planète augmente depuis une dizaine d'années ?
- Pourquoi n'y a-t-il pas de roi de France ?
- Pourquoi apprenez-vous le français ?

3. Compréhension écrite

Lisez le texte et remplissez le questionnaire.

Xavier Lenoir vient de publier un ouvrage qui va remporter sans aucun doute un beau succès cette année. Son livre qui s'intitule *Pourquoi ? Pasque* a pour ambition d'expliquer mille et une petites choses du quotidien qui aiguisent votre curiosité. Si vous voulez savoir pourquoi les moustiques font bzzz, pourquoi votre rideau de douche se colle inexorablement à vous chaque fois que vous prenez une douche en vous procurant une sensation tellement désagréable, vous trouverez les réponses dans ce petit livre de 120 pages publié dans la collection « vie pratique » des éditions du tiroir. Xavier Lenoir s'est fait connaître auprès du grand public en publiant l'année dernière un livre à succès intitulé 1000 recettes pour briller en société. Vous saurez que le bruit que font les moustiques est dû aux battements de leurs ailes, que le bruit que font les femelles en vol est un chant d'appel sexuel pour les mâles, que le rideau de douche se colle à vous car le jet d'eau chaude crée un tourbillon d'air qui attire le rideau dans une zone de basse pression.
Ainsi vous ne risquez plus de mourir idiot !

	vrai	faux
Il est probable que le dernier livre de Xavier Lenoir n'aura pas de succès.		
Son livre a l'ambition de développer votre curiosité.		
Vous trouverez des réponses à vos problèmes métaphysiques.		
C'est un guide de recettes de cuisine.		
Il explique pourquoi il faut prendre des douches froides.		
Son livre vous permet de vous débarrasser des moustiques.		
Vous apprendrez des choses sur la vie sexuelle des moustiques.		
Xavier Lenoir a déjà publié plusieurs livres.		
Il est connu du grand public.		
Pour la douche, l'explication est un phénomène de physique.		
Avec ce livre, vous serez plus cultivé.		

4. Expression écrite

Lisez les lettres suivantes et vous aussi rédigez une lettre pour trouver quelque chose.

1. Je cherche pour notre club du 3e âge des musiques de danses folkloriques avec les explications des pas. Qui pourrait m'aider ? Merci d'avance.

2. Je collectionne les bagues ou les capsules de champagne, de crémant, de pétillant et je serais ravie d'en recevoir ou d'en échanger. Merci beaucoup.

3. J'ai participé au jeu *Le Maillon faible*, mais je n'ai pas pu enregistrer l'émission qui a été diffusée le 6 janvier à 17 h 55 sur TF1. Si par chance vous aviez cet enregistrement, serait-il possible de m'en envoyer une copie ? Merci.

4. Afin de terminer un ouvrage, j'aurais besoin de deux pelotes de laine Phildar, référence Écorce 500653 (0) 001. Si vous pouviez me dépanner, ce serait formidable.

OBJECTIFS

savoir-faire

- exprimer un sentiment, une émotion, une opinion personnelle

grammaire

- la mise en relief : ce qui... ; ce que...

écrit

- rédiger une critique de film

Question de sentiments

Écoutez et choisissez la phrase qui exprime le mieux...

a la joie / la tristesse

b la surprise

c l'énervement

d la colère

e la curiosité

f l'admiration

g l'inquiétude

h la confiance

Ça vous fait peur...

Écoutez et dites à propos de quoi chacun exprime un sentiment, une émotion.
Dites ce qui, personnellement, vous fait peur ou au contraire vous plaît beaucoup.

- la pollution
- les espèces en voie de disparition
- la solitude
- l'avion
- la pauvreté
- l'insécurité des villes
- les araignées
- la nuit

Grammaire — Communication

procédés de mise en relief

ce qui/ce que..., c'est + nom
ce qui/ce que..., c'est + verbe à l'infinitif
– *Ce qui me fait le plus peur dans la vie, c'est la maladie.*
– *Ce que j'aime le plus le week-end, c'est faire la grasse matinée.*

• Cette formulation est souvent utilisée à l'oral dans des situations où l'on va mettre en relief certains éléments de son discours.
Vous pouvez dire (mais cette formulation est sans relief, banale) :
– *Ce garçon est très gentil.*
ou mettre en relief ce que vous dites en utilisant **ce qui/ce que..., c'est...**
– *Ce que j'apprécie, chez ce garçon, c'est sa gentillesse.*
– *Ce qui me plaît, chez cette fille, c'est son humour.*

• Cette formulation permet d'exprimer avec précision votre opinion ou un sentiment personnel par rapport au sujet évoqué :
– *Ce que j'adore, déteste, préfère, crains, redoute, approuve, etc.*
– *Ce qui me révolte, me plaît, m'énerve, me fait peur, m'étonne, me surprend, etc.*

Remarque : on utilisera **chez** lorsqu'on évoque des personnes.
– ***Ce que** j'aime bien **chez** les enfants, **c'est** leur spontanéité.*
Avec **chez**, on utilise généralement un adjectif possessif :
Chez ce garçon → ***sa** gentillesse*
(= la gentillesse de ce garçon)
Chez cette fille → ***son** humour*
Chez les enfants → ***leur** spontanéité*

... ou ça vous plaît ?

- la famille
- la nature
- la compétition
- la vie nocturne
- le sommeil
- la pâtisserie
- la mer
- le sport

Exercice : ce qui..., c'est / ce que..., c'est

Reformulez les phrases suivantes en utilisant ce qui..., c'est **ou** ce que..., c'est.

Exemple :
Je déteste par-dessus tout le mensonge. → Ce que je déteste par-dessus tout, c'est le mensonge.

1. J'aime beaucoup l'histoire, et surtout l'histoire ancienne.
2. Pierre a le sens des réalités. J'aime bien ça.
3. Cette fille a beaucoup d'humour. J'adore ça.
4. En ville, il y a du bruit et de la pollution. Je ne supporte pas ça.
5. J'aime bien cette ville, ses petites ruelles, ses terrasses, son marché.
6. Quand on apprend une langue, c'est important de ne pas avoir peur de faire des fautes.
7. J'adore la gentillesse et le sens de l'hospitalité des habitants de ce pays.
8. C'est un garçon très aimable, très courtois. J'apprécie beaucoup ça.

Réactions en tout genre

Écoutez et dites quels sentiments sont exprimés.

– C'est scandaleux ! Scandaleux !
Je vais me plaindre à la direction !
Appelez-moi le chef !

- l'inquiétude
- la satisfaction
- l'incertitude
- l'indignation
- la révolte
- l'optimisme
- le pessimisme
- l'enthousiasme
- la prudence
- la consternation
- la modestie
- la jalousie
- l'horreur
- le dégoût
- la déception
- l'indifférence
- la joie
- la sympathie
- l'espoir
- le regret
- le soulagement
- la surprise
- l'impatience
- la colère

Grammaire Communication

différentes façons d'exprimer un sentiment

1. avec un nom :	**2. avec un adjectif :**	**3. avec un verbe :**
l'inquiétude	inquiet	s'inquiéter
l'indignation	indigné	s'indigner
la résignation	résigné	se résigner
la satisfaction	satisfait	se satisfaire

– Le mouvement écologique a exprimé ***son inquiétude*** *pour l'avenir de la planète.*
– Le mouvement écologique est ***inquiet*** *pour l'avenir de la planète.*
– Le mouvement écologique ***s'inquiète*** *de l'avenir de la planète.*

On peut :
- **exprimer** son inquiétude, sa satisfaction, sa joie ;
- **éprouver de** l'indignation, **de** la surprise, **de** la sympathie ;
- **faire preuve de** patience, **de** prudence, **d'**indifférence ;
- **manifester** sa surprise, son indignation, son enthousiasme.

avec le passif :
décevoir → être déçu
– Les Français ***ont exprimé leur déception*** *vis-à-vis de la politique du gouvernement.*
– Les Français ***sont déçus*** *par la politique du gouvernement.*

Courrier des lecteurs

Faites correspondre l'adjectif qui indique le caractère de chacun des auteurs de petites annonces.

Femme au foyer, 45 ans, disposant de beaucoup de temps. Je suis prête à m'investir bénévolement dans toute activité tournée vers les autres : soutien scolaire, organisation humanitaire, aide aux personnes âgées, etc.

a

J'ai une très belle collection de timbres. J'y consacre la plus grande partie de mes journées. J'ai 61 ans et je suis à la retraite. Je souhaiterais correspondre avec un(e) philatéliste de n'importe quel pays pour échanger des timbres de toutes sortes.

b

Je dois faire le parcours Lyon-Paris avec ma voiture samedi prochain, 19 avril. Départ à 8 h 15. Je propose deux places à des personnes qui partageraient avec moi les frais d'essence et d'autoroute. Prendre contact avec le journal.

c

J'aimerais connaître la recette de la tarte aux artichauts, une spécialité de la région de la Bresse. Merci à un lecteur ou à une lectrice de bien vouloir me la communiquer.

d

Je t'ai croisée rue de Siam, à Brest, mardi 22 avril, à 18 h. Tu souriais et moi je souriais de même. Tu portais un imperméable vert. Depuis, je ne rêve que de te revoir... Si tu te reconnais, écris-moi au journal qui transmettra. (réf. 74519)

e

J'ai 65 ans et je recherche une amie qui s'appelle Marguerite Bouchardot. Nous étions à l'école ensemble. Son papa était officier de gendarmerie à Nantes. Elle habiterait à Lyon. J'aimerais la retrouver pour faire revivre les bons moments de notre enfance.

f

J'ai oublié dans une rame de métro de la ligne n° 5, lundi 11 février vers 13 h 40, un porte-documents contenant un livre de Michel Tournier *(Le Roi des aulnes)* et des photos de famille dans un porte-cartes de couleur jaune. Ces photos ont pour moi une grande valeur sentimentale. Forte récompense promise. Écrire au journal sous la référence 63 627. Merci.

g

Je dois prochainement me faire opérer des amygdales. Tout le monde me dit que c'est une opération très simple mais on ne sait jamais... Est-ce qu'un lecteur ou une lectrice qui a vécu une expérience semblable pourrait m'en parler ? Merci.

h

passionné(e)	
nostalgique	
généreux / généreuse	
inquiet / inquiète	
économe	
étourdi(e)	
amoureux / amoureuse	
gourmand(e)	

COMPRENDRE

Il y a un défaut

Écoutez et dites de quelle qualité ou de quel défaut fait preuve chaque personne.

qualités		défauts	
Il est généreux.		Il est égoïste.	
Il sait écouter les autres.		Il ne sait pas écouter les autres.	
Il est toujours disponible.		Il n'est jamais là quand on a besoin de lui.	
Il sait prendre son temps.		Il n'a jamais le temps.	
Il a une mémoire incroyable.		Il oublie tout.	
Il est très ponctuel.		Il est toujours en retard.	
Il est trop ambitieux.		Il ne fait pas ça par ambition.	
Il est très intelligent.		Il n'est pas très intelligent, il est bête.	
Il est très lucide.		Il n'a pas le sens des réalités.	
Il est sociable.		Il ne sait pas vivre en société.	
Il comprend très vite.		C'est un esprit lent.	

COMPRENDRE

Sentiments

Regardez les dessins et essayez de deviner quel sentiment est illustré par chaque dessin.

1. le plaisir 2. .... 3. ....

4. .... 5. .... 6. ....

7. .... 8. .... 9. ....

10. .... 11. .... 12. ....

légende	choix	légende	choix
le plaisir	1	l'excitation	
l'indifférence		la peur	
la colère		la révolte	
la honte		l'étonnement	
la tristesse		l'inquiétude	
l'intérêt		l'ennui	

Exprimez-vous !

Réagissez aux images suivantes.

a

b

c

d

e

f

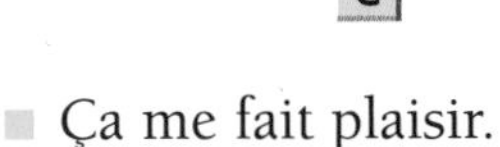

- Éduquer les enfants.
- Faire travailler des enfants.
- Faire un cadeau.
- Recevoir un cadeau.
- Sauter à l'élastique.
- Prendre des risques.
- Dire un mensonge.
- Être sincère.
- Avoir des amis.
- Travailler.
- S'amuser.

- Ça me fait plaisir.
- Ça me laisse indifférent.
- Ça m'est égal.
- Ça me touche vraiment.
- Ça me rend triste.
- Ça m'intéresse.
- Ça m'excite.
- Ça me fait peur.
- Ça m'étonne.
- Ça me révolte.
- Ça m'inquiète.
- Ça m'ennuie.

- C'est quelque chose de très important.
- C'est quelque chose qui me révolte.
- C'est quelque chose que je ne peux pas faire.
- Je trouve ça horrible.
- Je trouve ça intéressant.
- C'est incroyable.

Grammaire / Communication

exprimer une opinion personnelle

Pour indiquer une opinion personnelle :
Moi, je pense que... / je suis persuadé(e) que... / je crois que... / j'estime que... / je suis sûr(e)... / je suis certain(e) / il me semble que...
– ***Pour moi / d'après moi / selon moi / à mon avis...*** le problème soulevé est très important.
– ***Personnellement, je crois que / je pense que...*** le problème soulevé est très important.

Le point de vue de la critique

Classez les critiques de films dans les trois rubriques.

Pierre Laurent traite un sujet difficile, les acteurs donnent vraiment le meilleur d'eux-mêmes ; les 30 premières minutes, on est vraiment pris dans cette histoire peu banale mais ensuite le scénario dérape, il semble décousu. C'est tout de même un film à voir pour l'idée de départ.

a

Malgré son budget énorme, ses effets spéciaux, *Au-delà de la nuit* reste dans la banalité, il y a des longueurs et on a l'impression de déjà vu.

b

C'est un film original, une manière de réactualiser le huis clos, des actrices qui apportent chacune leur touche personnelle, un excellent moment de divertissement mais aussi de réflexion.

c

Pour un premier film, c'est un vrai bijou, un film intimiste mais toujours très prenant. À ne pas manquer !

d

Le talent de Bernadette Seigneur ne sauve pas vraiment ce film, il y a tout de même quelques scènes très drôles qui font passer un bon moment, dommage que l'ensemble ne soit pas dans cette tonalité. Intéressant quand même.

e

Un film historique qui pose des questions sur cette période trouble du XXe siècle, mais on attendait mieux, très décevant. À voir seulement si vous n'avez rien d'autre à faire.

f

	on aime	on aime un peu	on n'aime pas
a			
b			
c			
d			
e			
f			

Critique de film

Écoutez l'enregistrement et rédigez une critique de film en trois ou quatre lignes.

– *C'est un film très drôle.*
J'ai beaucoup ri.

OBJECTIFS

savoir-faire
- donner des arguments
- apprécier, convaincre

grammaire
- expression de l'opposition

écrit
- écrire une lettre argumentée

Très gentil

Écoutez et identifiez les arguments utilisés par Laura et ceux utilisés par Julien.

– Tu viens chez les Renaud dimanche ? Ils font un barbecue.

a

b

c

d

e

f

Il faut peser le pour et le contre

Choisissez trois arguments et donnez votre opinion en utilisant ces trois arguments.

Les vacances culturelles

Beaucoup de Français souhaitent profiter de leurs vacances pour enrichir leurs connaissances.
Les organisateurs de vacances multiplient les formules culturelles, artistiques qui permettent à chacun de révéler ou de réveiller une vocation enfouie.

Le tourisme, pour ou contre ?

- C'est important sur le plan économique.
- C'est dangereux pour la culture des pays touristiques.
- Ça permet d'avoir une vision plus vraie du monde.
- Cela permet de découvrir la culture de l'autre.
- Cela favorise les échanges interculturels.
- Cela ne bénéficie qu'à quelques-uns.
- C'est dommage, les touristes vivent entre eux et ne connaissent pas le pays où ils séjournent.
- Il y a plusieurs formes de tourisme : le tourisme intelligent où l'on s'intéresse à la culture et où l'on a des contacts avec les habitants du pays que l'on visite, et le tourisme où l'on vit dans des lieux réservés aux touristes sans jamais connaître le pays où l'on réside.
- Le tourisme favorise la paix dans le monde.
- La présence de touristes dans un pays pauvre enrichit la population.
- Le tourisme a défiguré les côtes de beaucoup de pays.
- Le tourisme enrichit culturellement les pays touristiques.
- C'est grâce au tourisme que beaucoup de sites historiques ou archéologiques ont été sauvegardés.
- Pour beaucoup de pays touristiques, c'est la seule ressource sur le plan économique.

LES VACANCES

56 % des Français partent en vacances (dont 50 % en hébergement familial ou gratuit), 8 % partent en avion, 79 % des vacanciers sont restés en France (dont 44 % à la mer).
Un Français sur deux pratique un sport de vacances.
Les formules de vacances-aventure (trekking, escalade, descente de rivières en canoë, circuits à pied, randonnées dans le désert, circuits en voiture tout terrain) sont à la mode.

Grammaire \ Communication

l'opposition

L'opposition rend compte d'une relation de cause/conséquence inhabituelle, anormale.
– *Il est parti en mer **malgré** la tempête.*
(Normalement, on ne part pas en mer quand il y a une tempête.)
– *C'est dimanche, **et pourtant** il travaille.*
(Habituellement, on ne travaille pas le dimanche.)

Pour exprimer une opposition vous pouvez utiliser :
malgré + nom :
– *La situation économique s'est améliorée **malgré** la crise.*
en dépit de + nom
– *Il a agi **en dépit de** toute prudence.*
(et) pourtant + phrase :
– *Il est malade, et **pourtant** il travaille.*
même si + phrase :
– *Je serai là lundi, **même si** je suis encore malade.*
cependant :
– *Le temps sera beau dans l'ensemble. Il y aura **cependant** quelques orages dans l'est du pays.*

Bon gré, mal gré

Écoutez et dites quelle est l'information qui correspond à chaque image.
Commentez les images puis comparez vos productions avec les enregistrements.

Le match a eu lieu malgré la neige et les rafales de vent.

a

b

Le match a été annulé à cause des mauvaises conditions météorologiques.

c

d

Exercice : l'opposition

Complétez en choisissant.

1. Il a réussi son bac malgré…
   - une moyenne de 15/20.
   - une mauvaise note en maths.
   - son absence.
2. Le schéma de montage est faux et pourtant…
   - ça ne marche pas.
   - ça fonctionne parfaitement.
   - le moteur ne tourne pas.
3. Il l'a quittée et pourtant…
   - il l'aime.
   - il la déteste.
   - il ne la supporte pas.
4. Malgré ...., il a gagné le match en 3 sets : 6-3, 6-2, 6-4.
   - une blessure au genou gauche
   - sa pleine forme
   - l'excellence de son coup droit
5. Le spectacle aura lieu en plein air même…
   - s'il fait beau.
   - s'il pleut.
   - si on ne peut pas rester dehors.
6. Il a obtenu ce travail en dépit de…
   - son mauvais curriculum.
   - son excellente expérience professionnelle.
   - ses compétences professionnelles.

Malgré tout !

Commentez les images.

JOURNAL DE BORD

Lundi : (5e jour de la traversée) tempête
Mardi : tempête. La grand voile est déchirée. Je dois réparer.
Mercredi : panne de radio. Je suis isolée du monde. La tempête est de plus en plus forte.
Jeudi : je m'aperçois qu'une partie de mes réserves de nourriture est totalement pourrie.
Vendredi : la tempête s'achève. Ouf !
Samedi : calme plat
Dimanche : calme plat. Plus de vent. Je n'avance pas.
Lundi : je heurte une baleine. L'eau rentre à l'avant. Je coule !
Mardi : j'ai réparé la voie d'eau. Le vent revient. Je suis en deuxième position.

BULLETIN DE NOTES

Nom : Annie BERTRAND
Classe : Terminale A

Résultats du 3e trimestre	
– Français :	6/20
– Mathématiques :	3/20
– Histoire :	8/20
– Anglais :	9/20
– Philosophie :	10/20
– Sport :	18/20
Moyenne du 1er trimestre :	7/20
Moyenne du 2e trimestre :	8/20

Remarque du professeur principal :
Ce n'est pas avec ces résultats qu'Annie réussira son bac !

Des arguments pour convaincre

Essayez de trouver des arguments pour chacune des situations proposées puis écoutez les enregistrements.

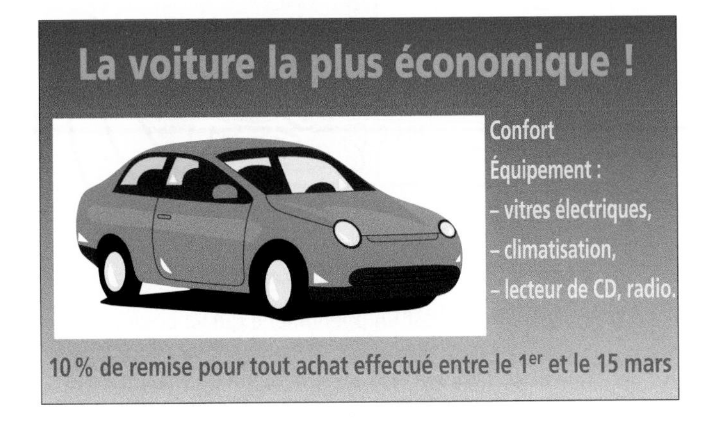

– Moi, je vous conseillerais de prendre la X467.
– Pourquoi ? Elle me semble un peu chère.

Exercice : l'opposition

Complétez en choisissant.

1. Il travaille .... le bruit.
   ▪ malgré ▪ pourtant ▪ à cause
2. Il est complètement épuisé et .... il continue sa course.
   ▪ malgré ▪ cependant ▪ même si
3. Je viendrai .... tu n'es pas d'accord.
   ▪ malgré ▪ pourtant ▪ même si
4. .... tous ses efforts, il n'a pas pu faire aboutir son projet.
   ▪ à cause ▪ de pourtant ▪ malgré
5. Ce n'est pas un très bon film et .... il a eu un grand succès.
   ▪ même si ▪ pourtant ▪ malgré
6. Ils ont gagné .... une fin de match difficile.
   ▪ cependant ▪ en dépit d' ▪ même si
7. Nous avons eu des problèmes au premier semestre, ... les résultats sur l'année sont excellents.
   ▪ même si ▪ cependant ▪ malgré
8. Il est en pleine forme .... son accident.
   ▪ pourtant ▪ malgré ▪ cependant

Télétravail

Lisez ces textes et dites quel est le thème, puis dégagez l'opinion de l'auteur sur ce thème.

Le télétravail, s'il présente certains avantages pour les personnes qui l'ont choisi, en ce qui concerne la flexibilité des horaires et l'organisation de son temps, a cependant des effets négatifs à long terme.
Petit à petit, le télétravailleur s'isole, il se déconnecte du monde de l'entreprise, les relations qu'il entretenait avec ses collègues de travail se distendent et, d'une certaine manière, il s'exclut de la sphère sociale de l'entreprise. À tel point que certaines des personnes que nous avons interrogées en viennent à regretter les conversations devant la machine à café...

Le télétravail est un phénomène qui va bouleverser le fonctionnement de certaines entreprises, c'est une liberté donnée aux personnes qui choisissent cette nouvelle forme de travail. En effet, il permet d'organiser son temps comme on le souhaite, de vivre à son propre rythme, de passer plus de temps avec ses enfants et de ne pas être soumis à la pression d'un chef.

b

« Ce que je pense du télétravail ? J'ai pratiqué pendant deux ans. Au début, j'étais enthousiaste, plus de contraintes, pas besoin de quitter la maison, j'avais plus de temps libre puisque je n'avais plus mes deux heures quotidiennes de métro, et puis, après six mois, j'ai commencé à m'ennuyer, à devenir pénible avec ma femme et mes enfants, je n'avais plus du tout envie de sortir. Alors, pour moi, l'illusion de la technologie, c'est terminé, ce qui compte, c'est les relations humaines et le télétravail vous prive de cela. »

	arguments pour	arguments contre
texte a		
texte b		
texte c		

Critiques

Lisez les critiques de ce jeu multimédia et cochez la case qui correspond au jugement.

1. *Motomatic* est un jeu époustouflant : les amateurs de courses de motos seront comblés.

2. Les éditions Ludotronic proposent un nouveau jeu assez agréable. *Motomatic* est une course de motos au graphisme séduisant, mais la ronde sur ce trop beau circuit est lassante à la longue.

3. Les bruitages sont réalistes, le décor somptueux. On est vite pris par la passion de la course et de la vitesse. Un petit reproche : pourquoi ne peut-on pas choisir son modèle de moto ?

4. D'accord, c'est un jeu plaisant à regarder. Par contre, au bout de cinq minutes on s'ennuie à mourir, comme un hamster qui tourne dans sa cage. À déconseiller aux amateurs de sensations fortes.

5. Véritables amateurs de courses motocyclistes, abstenez-vous ! Vous risquez de vous endormir au guidon sur un circuit sans surprises. Ennui garanti.

6. Les motos sont maniables et très belles. Le décor du circuit est remarquable. *Motomatic* est un jeu qui séduira à coup sûr tous les amateurs du genre.

7. Cela vaut la peine d'essayer *Motomatic* : ce jeu de course motocycliste présente d'incontestables qualités. Mais peut-il raisonnablement être comparé à son grand rival *Super Bécane* de chez Intervidéo, qui fait l'unanimité ?

8. Si vous aimez vraiment les jeux de circuits, *Motomatic* n'est pas pour vous : il est répétitif et donc lassant. En outre, il est dépourvu d'originalité. Un point fort incontestable, cependant : le graphisme est magnifique et les bruitages particulièrement réalistes et convaincants.

	1	2	3	4	5	6	7	8
Très favorable								
Plutôt favorable								
Plutôt défavorable								
Très défavorable								

Grammaire / Communication

l'opposition

Par contre : pour ajouter une information qui va dans le sens inverse de celle que l'on vient de donner (positif → négatif ou négatif → positif).
– C'est un garçon très gentil. ***Par contre,*** *il n'est pas très efficace dans son travail.*
– Mon appartement ? Il est tout petit et très cher. ***Par contre,*** *le quartier est calme et les voisins sont très sympas.*

En revanche : pour offrir une autre solution, une alternative ou pour contrebalancer une information négative.
– Aujourd'hui, je n'ai plus de gâteaux au chocolat. ***En revanche,*** *j'ai de très bonnes tartes aux fruits.*
– C'est une voiture qui n'est pas très rapide. ***En revanche,*** *elle très confortable et très économique.*

Au contraire / contrairement à : pour exprimer une opposition exactement inverse à un sentiment ou à une attitude particuliers.
– Tu n'as pas aimé le spectacle ? Moi, ***au contraire,*** *j'ai trouvé ça passionnant !*
– ***Contrairement à*** *de nombreux enfants de son âge, il a toujours préféré la lecture à la télévision.*

COMPRENDRE  ÉCRIRE

Le courrier des auditeurs

Écoutez et rédigez la lettre correspondante.

– Vous avez été très nombreux à la suite de notre émission « Planète en péril » à nous écrire, par courrier ou par mél. Un de nos auditeurs, Claude Robin, pense…

Claude Robin
26 rue des Jonquilles
67000 Strasbourg

Merci pour votre excellente émission "Planète en péril". Des solutions existent. Si l'on veut éviter l'effet de serre et sauvegarder la couche d'ozone, il faut privilégier les transports en commun, les rendre plus rapides en créant des couloirs d'autobus, créer des pistes réservées aux cyclistes, utiliser le train plutôt que le camion pour transporter les marchandises.
C'est au niveau européen que des décisions doivent être prises.

Cordialement

Claude Robin

OBJECTIFS

savoir-faire
- argumenter
- reformuler

grammaire
- le gérondif
- les pronoms relatifs : qui, que, dont
- l'accord du participe passé avec *être* et *avoir*

culture(s)
- l'argot et les argots
- le français familier

COMPRENDRE

Proverbes

Écoutez les enregistrements et mettez-les en relation avec un proverbe.

La fortune vient en dormant.

a

C'est en forgeant que l'on devient forgeron.

b

Ce n'est pas en restant qu'on va. (proverbe jurassien)

c

L'appétit vient en mangeant.

d

	choix
1	
2	
3	
4	
5	
6	

En vieillissant, on devient plus sage ou plus sot.

e

Gagner un procès, c'est acquérir une poule en perdant une vache. (proverbe chinois)

f

Grammaire / Communication

le participe présent, le gérondif

Formation du participe présent
Le participe présent se forme, comme l'imparfait, à partir de la forme utilisée au présent avec « nous » :
nous mangeons → mangeant
nous faisons → faisant
nous pouvons → pouvant
nous apercevons → apercevant
Remarque : trois verbes échappent à cette règle de formation :
être : étant - **avoir :** ayant - **savoir :** sachant

Le gérondif
Utilisé avec « en », le participe présent permet d'évoquer un événement qui se déroule ou qui s'est déroulé en même temps qu'un autre événement :
– *Elle est partie* ***en riant*** *(elle riait quand elle est partie).*
– *Il lit le journal* ***en mangeant*** *(il lit le journal pendant qu'il mange).*
Remarque : la forme **en + participe présent** est appelée le gérondif.

Beaucoup d'adjectifs ont la forme d'un participe présent :
une idée amusante = une idée qui amuse
un jeu passionnant = un jeu qui passionne
une histoire émouvante = une histoire qui émeut
un bruit énervant = un bruit qui énerve
un poisson volant = un poisson qui vole
un joueur débutant = un joueur qui débute

COMPRENDRE

PARLER

Le gérondif, quel drôle de nom !

Écoutez et dites quelle est la signification des gérondifs utilisés.

	1	2	3	4	5	6
Cause						
Condition						

– On irait plus vite en prenant le métro !

Exercice : le gérondif (1)

Récrivez les phrases en utilisant un gérondif.

1. – Si tu étais parti plus tôt, tu serais arrivé à l'heure !
2. – Elle est tombée malade parce qu'elle a mangé des champignons.
3. – Claude a réussi parce qu'il a travaillé.
4. – On éviterait beaucoup d'accidents si on roulait moins vite.
5. – Si tu venais à l'anniversaire de Béatrice, tu lui ferais vraiment plaisir.
6. – Quand François est parti, il a serré la main de tout le monde.
7. – Si tu faisais attention, tu ferais moins d'erreurs.
8. – Parce qu'il s'est entraîné régulièrement, mon frère a amélioré son jeu au tennis.
9. – Jean-Pierre a été renversé par une voiture alors qu'il sortait de chez lui.

Grammaire / Communication

les emplois du gérondif

Le gérondif permet aussi d'exprimer :

• **une cause :**
– Olivier a obtenu une promotion ***en acceptant*** *un poste à l'étranger.*
= Olivier a obtenu une promotion parce qu'il a accepté un poste à l'étranger.

• **une condition :**
– ***En travaillant*** *un peu plus, tu pourrais réussir.*
= Si tu travaillais un peu plus, tu pourrais réussir.

Mise en relief du gérondif
C'est en + participe présent que...
– C'est ***en*** *la* ***pratiquant qu'****on apprend une langue.*
Ce n'est pas en + participe présent que...
– ***Ce n'est pas en disant*** *du mal de tout le monde* ***qu'****on se fait des amis.*

Exercice : le gérondif (2)

Récrivez les phrases en exprimant la simultanéité, la cause ou la condition autrement que par le gérondif.

1. – En roulant vite, tu prends des risques.
2. – Jean-Pierre a gagné un séjour à la Martinique en participant à un concours.
3. – En restant longtemps sur la plage, tu vas attraper un coup de soleil.
4. – Véronique a perdu une chaussure en dansant.
5. – En insistant auprès du serveur du restaurant, nous avons pu avoir une table en terrasse.
6. – En descendant dans le midi, un automobiliste a oublié femme et enfants au bord de l'autoroute.
7. – En suivant cette petite route, vous arriverez directement au village de Beaucastel.

Des trucs et des machins

À propos de quoi diriez vous… ?

- C'est un truc dont j'ai besoin du matin au soir.
- C'est une chose dont je peux me passer !
- C'est un machin dont je ne pourrais plus me passer.
- Ça, c'est un truc que je ne supporte pas !
- C'est quelque chose qui fait maintenant partie de notre environnement quotidien.
- C'est un truc que je n'achèterai jamais !
- C'est quelque chose dont personne n'a besoin, mais que tout le monde a.
- C'est quelque chose qui a changé nos comportements.
- C'est un truc qui est très utile.
- C'est quelque chose qui n'est pas recommandé pour les enfants.

a

b

c

d

e

f

Grammaire **Communication**

les pronoms relatifs *qui, que* et *dont*

– *Il a écrit deux livres* ***qui*** *ont été vendus à des milliers d'exemplaires.*
Ce qui correspond à la construction : *les deux livres ont été vendus.*

– *Les livres* ***qu'****il a écrits ont été vendus à des milliers d'exemplaires.*
Ce qui correspond à la construction : *il a écrit des livres.*

– *Les deux livres* ***dont*** *il est l'auteur ont été vendus à des milliers d'exemplaires.*
Ce qui correspond à la construction : *il est l'auteur de deux livres.*

Le choix de qui, que ou dont dépend de la construction utilisée :

• **sujet : qui**
– *Je fais un travail.* ***Ce travail*** *est très intéressant.*
→ *Je fais un travail* ***qui*** *est très intéressant.*

• **complément : que**
– *Je fais* ***un travail****. Ce travail est très intéressant.*
→ *Le travail* ***que*** *je fais est très intéressant.*

Constructions avec *de* : dont

• Avec un verbe qui se construit avec **de** :
Tout le monde ***parle de*** *ce problème.*
→ *C'est un problème* ***dont*** *tout le monde* ***parle****.*

• Avec un nom :
Le nom ***de*** *ce garçon est inconnu des Français.*
→ *C'est un garçon* ***dont*** *le nom est inconnu des Français.*

Tout est relatif...

Reformulez en une seule phrase chaque série de phrases.

Exemple :

– Pierre Marchand est cinéaste.

– Le père de Pierre Marchand est un auteur à succès de romans policiers.

– Pierre Marchand va adapter au cinéma *Du rififi à Philadelphie*.

– Henri Marchand, le père de Pierre Marchand, a écrit *Du rififi à Philadelphie* en 1972.

– *Du rififi à Philadelphie* a obtenu le grand Prix du Quai des Orfèvres.

Le cinéaste Pierre Marchand, dont le père est un auteur à succès de romans policiers, va adapter au cinéma *Du rififi à Philadelphie* d'après le roman que son père a écrit en 1972, et qui a obtenu le grand prix du Quai des Orfèvres.

Série 1
– Je vais vous lire une lettre.
– Cette lettre a été écrite par quelqu'un.
– Son nom est connu de tous.
– Tout le monde l'aime beaucoup.
– Jean-Marc Laflèche est champion olympique du 150 mètres haies.

Série 2
– Je reçois un invité aujourd'hui.
– Claude Lavoix est un jeune chanteur.
– Il est très connu en France mais aussi à l'étranger.
– Son talent a été récompensé hier aux Victoires de la musique.

Exercice : les pronoms relatifs

Complétez en choisissant qui, que ou dont :

1. – Tu connais Nathalie, la fille .... Yves parle tout le temps ?
2. – C'est un garçon .... je te recommande. Il est très compétent.
3. – Elle s'appelle comment la fille .... parle avec Julien ?
4. – La seule chose .... j'aie envie, c'est d'un peu de calme !
5. – La décision .... nous allons prendre aujourd'hui est très importante.
6. – C'est un problème .... on parle beaucoup aujourd'hui.
7. – La personne .... la voiture immatriculée 1212 RX 70 est garée devant l'issue de secours, est priée de se présenter d'urgence à la réception.
8. – C'est quelqu'un .... j'apprécie beaucoup.

l'accord du participe passé avec *avoir* et *être*

question n° 1
Le participe passé est-il employé avec un auxiliaire de conjugaison **avoir** ou **être** ?

→ **non** → Le participe passé s'accorde avec le nom.
– Il y a une lettre ***adressée*** *à Gabriel Leroy.*

↓ **oui** ↓

question n° 2
Avec quel auxiliaire ?

→ **1er cas :** il est employé avec **être**
Le participe passé s'accorde avec le sujet du verbe.
– Nos amis irlandais ***sont arrivés*** *hier soir.*

↓ **2e cas :** il est employé avec **avoir** ↓

question n° 3
A-t-il un complément direct ?

→ **non** → Le participe passé reste invariable. (il ne s'accorde pas)
*– La semaine dernière, nous n'****avons*** *pas* ***travaillé****.*

↓ **oui**

Le complément direct est placé **avant le verbe.**
Le participe passé s'accorde avec le complément direct.
– J'ai rencontré Pierre et Marie. Je les ***ai invités*** *à dîner.*

Le complément direct est placé **après le verbe.**
Le participe passé reste invariable. (Il ne s'accorde pas.)
– Est-ce que tu ***as vu*** *mes clés, s'il te plaît ?*

Exercice : l'accord du participe passé (1)

Dans les phrases suivantes, complétez les formes du participe passé.

1. – Vous avez pass… de bonnes vacances ?
2. – Marie-Pascale ? Je l'ai rencontr… hier soir à la réunion de notre association.
3. – Jeannette et Bruno ont divorc….
4. – Hier, avec Jonathan, nous sommes pass… chez François et il nous a invit… à déjeuner.
5. – En raison des travaux, la circulation sera détourn… par la rue Victor Hugo.
6. – Arthur et Jean-Paul sont part… avant-hier.
7. – Deux mille personnes sont attend… à l'occasion du carnaval.
8. – Nous serons dans une maison lou… pour la durée des vacances.
9. – Plusieurs bâtiments ont été détrui… par un violent incendie.
10. – J'ai trouv… une veste abandonn… sur un banc public.

Accords

❶ Écoutez et dites de quoi on parle dans chaque enregistrement.

a

b

c

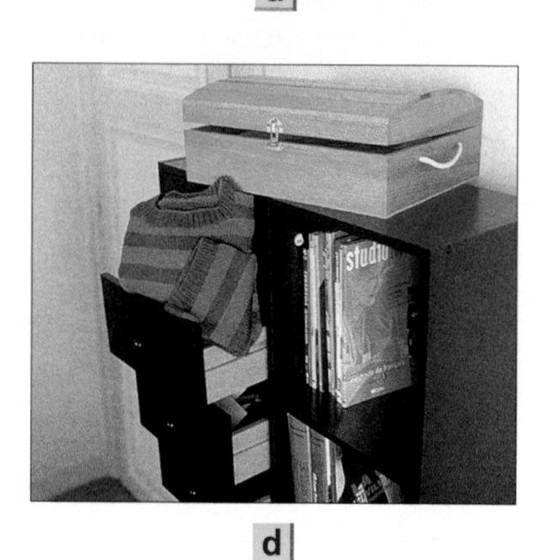

d

e

f

❷ Lisez et dites de quoi on parle.

1. – Je l'ai trouvée dans la rue. (image a)
2. – Je les ai trouvées délicieuses.(image b)
3. – Je l'ai achetée dans une boutique du centre-ville. (image c)
4. – Je l'ai réalisée de mes propres mains ! (image d)
5. – Je l'ai cuisiné à la provençale. (image e)
6. – C'est Éric qui me l'a donnée pour mon anniversaire. (image f)

Exercice : l'accord du participe passé (2)

Dans les phrases suivantes, conjuguez les verbes entre parenthèses au passé composé en accordant correctement le participe passé.

1. – Est-ce que vous (réparer) ma voiture ?
2. – Par où est-ce que vous (entrer) toutes les deux ?
3. – Ta mère (recevoir) hier la carte que nous lui (écrire) d'Italie.
4. – Nous (visiter) un très bel appartement.
5. – Les enfants (aller) chez leurs grand-parents.
6. – Elle (réfléchir) longtemps avant de prendre sa décision.
7. – Geneviève ? ça fait au moins trois ans que je ne l'....... pas .... (voir).
8. – Il (pleuvoir) toute la journée.
9. – Samira (faire) une demande de naturalisation.
10. – Les Moreau (descendre) quinze jours sur la Côte d'Azur.

LIRE PARLER

« Art gothique »

Lisez le texte et répondez au questionnaire.

– *Qu'est-ce qu'on fait ? On va au cinoche ou on regarde la téloche ?*
– *On va au cinoche. La téloche, c'est ripou ce soir.*

L'ARGOT ET LES ARGOTS

Au singulier, le terme **argot** désigne le lexique de la pègre.
Au pluriel, il signale un lexique propre à un groupe de personnes (argot des imprimeurs, des casernes…).
L'argot est constitué d'un lexique, la prononciation et la syntaxe sont celles de la forme populaire de la langue commune.
Depuis le XIXe siècle, l'argot s'est répandu dans la langue commune, mais reste limité à certains usages sociaux. L'argot est avant tout un moyen de parler sans être compris de tous. Dans les prisons, il permettait de se parler sans être compris des gardiens. L'essentiel de la langue argotique concerne des termes qui expriment des nuances par rapport à la langue courante dans des domaines précis : l'amour, l'argent, le jeu, la tromperie, la bagarre.
Les Français utilisent souvent, sans le savoir, des mots qui autrefois étaient considérés comme grossiers ou argotiques.
L'argot utilise dans ses processus de formation la métaphore (*se dégonfler* pour renoncer), l'adjectif (*battant* pour cœur), le calembour (*cloporte* pour concierge : qui clôt la porte). Il privilégie l'expression concrète de termes abstraits (par exemple : *avoir quelqu'un dans le nez* : détester quelqu'un).
L'argot se renouvelle en supprimant la fin de certains mots (*prof* pour professeur) ou en la modifiant (*cinoche* pour cinéma). Un des procédés récents de création est **le verlan** (inversion des syllabes : *ripou* pour pourri).
Les argots de métiers utilisent les mêmes procédés, ils servent de reconnaissance à un groupe.
Toutes les langues connaissent des argots, mais les formes sont diversifiées, ainsi que les usages sociaux.

		vrai	faux
1	Il y a plusieurs argots.		
2	L'argot existe depuis moins de 200 ans.		
3	L'utilisation de l'argot permet d'être compris par tout le monde.		
4	Il y a beaucoup de mots argotiques dans certains domaines (l'argent, l'amour, etc.).		
5	Le verlan est très récent.		
6	Quand les Français disent cinoche au lieu de cinéma, prof au lieu de professeur, c'est du verlan.		
7	L'argot est un phénomène typiquement français, très rare dans d'autres langues.		
8	Beaucoup de mots argotiques sont entrés dans la langue parlée de tous les jours.		
9	Une métaphore, c'est une expression qui utilise une image pour suggérer un sens.		
10	Le verlan inverse les mots : Sirap = Paris en verlan.		
11	Il y a un argot des bouchers, de la SNCF, des travailleurs du bâtiment.		
12	Le calembour, c'est quand on joue avec le sens des mots.		
13	Exemple de procédé de suppression de fin de mots : c'est duraille (= c'est dur, difficile).		
14	Le titre de cette activité (Art gothique) est un calembour.		
15	Il est « gonflé », qui signifie « il n'a pas peur », est une métaphore.		

Exercice : le français familier

Mettez en relation les phrases 1 à 12 avec les phrases A à L.

– *Qu'est-ce qu'il y a ce soir à la téloche ?*
– *Sur TF1,* Les Keufs *et sur France 2* Les Ripoux.

1. – Elle est encore en train de tchatcher avec la meuf du dirlo.
2. – Pour moi, c'est kif-kif.
3. – Je le trouve un peu relou ce mec !
4. – Elle est trop, cette nana !
5. – Il est hyper cool, ton beauf !
6. – Ma frangine ? Elle va passer le week-end chez des potes à la cambrousse.
7. – Ralentis ! Il y a des keufs !
8. – Ce soir, mon reup et ma reum ne sont pas là ! On fait une grosse teuf.
9. – J'ai la crève. Aujourd'hui, je passe ma journée au pieu.
10. – C'est un coin un peu craignos.
11. – Je t'invite à bouffer dans un restau classe.
12. – Il est super ton appart, mais je le trouve un peu chéro !

A. – Elle parle avec la femme du directeur.
B. – Elle est incroyable cette fille !
C. – Ça m'est égal.
D. – Ton appartement est superbe, mais je trouve que le loyer est un peu élevé !
E. – Je reste au lit aujourd'hui. J'ai la grippe.
F. – Je le trouve un peu lourd, ce garçon.
G. – Ton beau-frère est très sympathique.
H. – Ma sœur est chez des amis à la campagne.
I. – C'est un quartier dangereux.
J. – Roule moins vite. Il y a la police !
K. – On va profiter de l'absence de mes parents pour faire une grande fête.
L. – Je te propose d'aller manger dans un endroit chic.

OBJECTIFS

savoir-faire
- organiser son discours à l'oral

grammaire
- les articulateurs du discours

culture(s)
- l'Europe et l'euro
- les expressions imagées
- littérature : quelques extraits de roman

Conférences en tout genre

Écoutez chaque extrait de conférence, dites de quelle conférence il s'agit, puis précisez l'intention de chaque enregistrement.

Centre culturel
CYCLE DE CONFÉRENCES

La fusion froide : réalité ou illusion ?
par Marthe Leroy de la revue *Sciences de demain*.

Victor Hugo : de Besançon à Guernesey
par Jean Val, historien.

Les droits de l'enfant
par Phillipe Laloi, professeur de droit.

Existe-t-il une autre intelligence dans l'univers ?
par Alina Green-Littleman, astrophysicienne.

La « malbouffe »
par Jean Legras, diététicien.

Le conférencier / la conférencière a...		1	2	3	4	5
1	présenté sa conférence.					
2	donné un exemple.					
3	conclu son exposé.					
4	exprimé une opinion personnelle.					
5	fait preuve d'humour.					
6	fait une citation.					
7	projeté une photo, une image.					
8	cité une anecdote.					

Conférence

Écoutez et dites si le conférencier a...

		oui	non
1	cité des chiffres.		
2	donné un exemple.		
3	évoqué le lieu où il donne sa conférence.		
4	exprimé un avis personnel.		
5	fait preuve d'humour.		
6	fait une citation.		
7	fait une présentation du sujet.		
8	formulé le sujet en posant une question.		
9	présenté le plan de son exposé.		
10	répété l'intitulé du sujet.		
11	s'est adressé directement au public.		

– Je salue d'abord les délégués venus du monde entier à ce colloque sur l'environnement, qui se tient à Manaus, un lieu symbolique car nous sommes ici au cœur de l'Amazonie, poumon de la planète.

Grammaire

Communication

Les moments de la prise de parole

Présentation du sujet

Identification du sujet :
- par une question :

– Quel est l'avenir de la France dans le domaine des nouvelles technologies ?
- par une reprise du sujet :

– Comme le titre de ma conférence l'indique, « La famille et ses mutations », je vais essayer d'analyser les changements qui sont intervenus au cours des vingt dernières années.
- en citant des chiffres :

– La France compte actuellement 13 millions d'enfants de moins de 15 ans qui représentent 17 % de la population contre 26 % en 1960.

Présentation du plan adopté

d'abord..., ensuite..., enfin... / dans un premier temps..., puis..., pour terminer..., pour conclure...

– Je vais d'abord faire une analyse de la situation actuelle. J'examinerai ensuite les perspectives d'avenir pour conclure par une série de questions.

Développement du sujet

Arguments pour :

– Les chiffres confirment le succès de la politique du gouvernement...

Arguments contre :

– Le gouvernement n'a pas réussi à résoudre le problème du chômage...

Exemples :

– Je citerai un seul exemple, celui d'une expérience pédagogique très originale qui a eu lieu dans un lycée de Lyon...

Point de vue personnel :

– Personnellement, je pense que c'est une erreur...

Conclusion

– Pour terminer cet exposé, je citerai Simone de Beauvoir...

Vous avez un plan ?

Essayez de retrouver l'ordre de cet exposé, puis écoutez l'enregistrement.

Plan d'un exposé

- **Présentation du sujet**
- **Présentation du plan**
- **Première partie :**
  - argument 1
  - argument 2
  - argument 3
- **Conclusion de la 1re partie, transition**
- **Deuxième partie :**
  - argument 1
  - argument 2
  - argument 3
- **Transition**
- **Troisième partie**
- **Conclusion générale**

– Je vais vous parler aujourd'hui des intérêts de l'Internet pour améliorer les communications humaines.

1. En effet, si l'on regarde les chiffres, seule une petite partie de la population est connectée,
2. Enfin, ce moyen ne peut pas remplacer les contacts directs, beaucoup d'exemples le montrent, on ne lit pas un livre sur le Net, on rencontre une personne sur « la toile » mais on a ensuite envie de la rencontrer « en vrai ».
3. Il est clair que l'utilisation d'Internet permet de communiquer à n'importe quel moment avec n'importe quelle personne malgré les distances.
4. Il faut donc être prudent et ne pas avoir une attitude inconditionnelle par rapport à Internet.
5. Internet permet également aux personnes intéressées par un même sujet de se rencontrer et de dialoguer.
6. Internet permet enfin de se former, d'avoir accès à toute sorte de documents et, par là même, de rentrer en contact avec des personnes avec qui nous n'aurions jamais pu établir un dialogue.
7. Je vais vous parler aujourd'hui des intérêts de l'Internet pour améliorer les communications humaines.
8. Je voudrais terminer mon intervention en signalant que les découvertes technologiques ne sont jamais que ce que l'homme (et surtout la femme) en fait et que l'usage de la modernité ne règle pas tout.
9. Nous verrons d'abord quelles sont les raisons qui font d'Internet un moyen privilégié pour développer les relations entre les hommes, nous nous demanderons ensuite s'il y a des limites à ces affirmations, je vous donnerai enfin mon point de vue personnel sur la question.
10. Par ailleurs, c'est surtout dans les pays développés que ce moyen de communication est utilisé, on peut donc se demander s'il favorise le dialogue Nord-Sud.
11. Pour ma part, je crois que ce moyen, s'il permet l'accès à une documentation illimitée, s'il donne la possibilité de contacter d'autres personnes, de dialoguer avec elles, doit être utilisé sans illusions.
12. Toutes ces raisons nous amènent donc à penser qu'Internet est un moyen privilégié d'établir des relations humaines, il faut cependant nuancer ces affirmations.

Exposé

Faites le quiz, puis en vous servant des documents fournis, préparez un exposé sur l'euro.

– Maman, je dois faire un exposé sur l'euro !
– Ah bon !
– Il faut que je donne des informations historiques, géographiques et que j'explique ce que le passage à l'euro a changé.

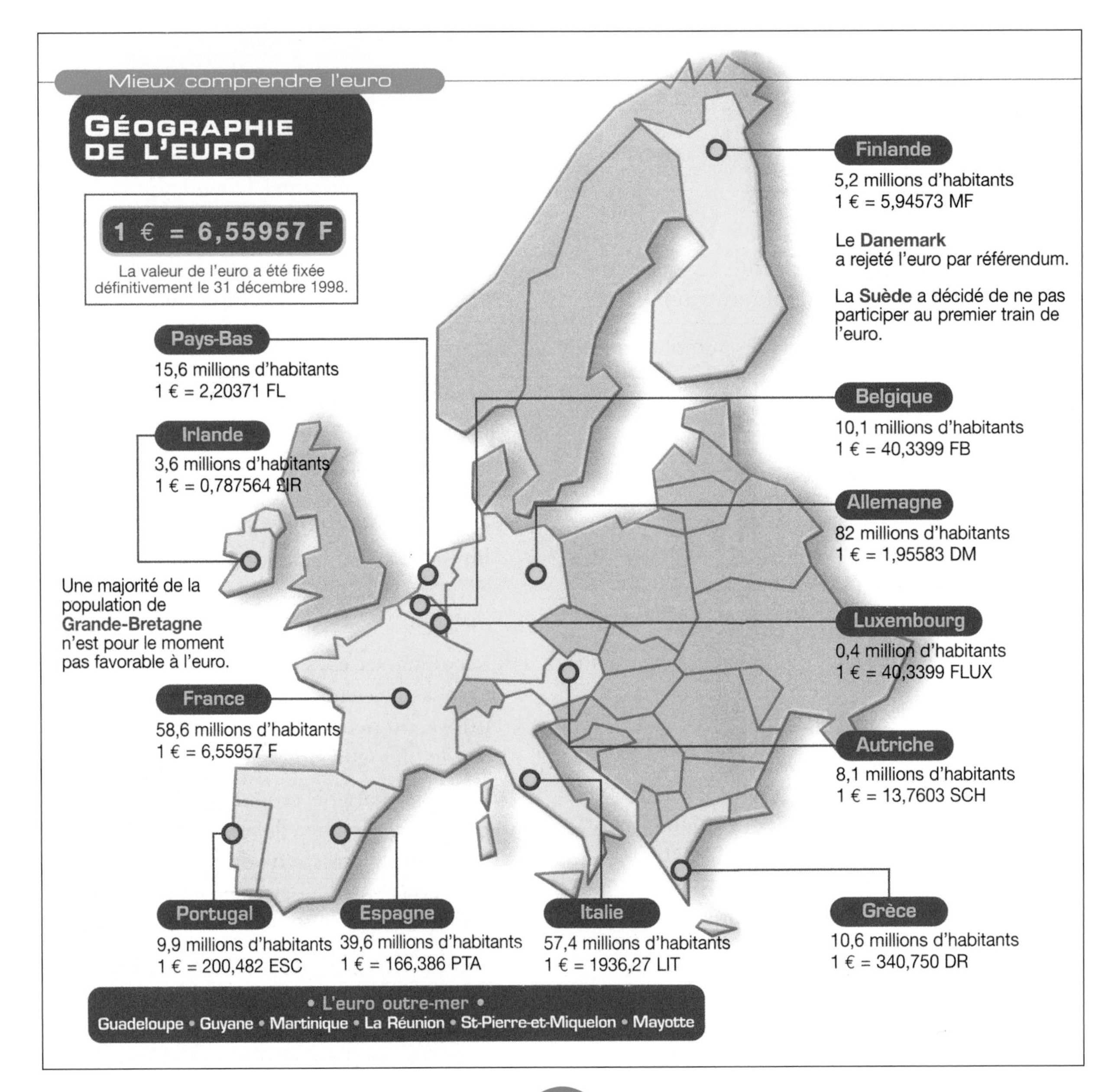

Les grandes dates de l'euro

Ce calendrier rassemble les grandes dates de l'euro en général et de l'euro à la Poste en particulier.

Mai 1998 **11 pays sont sélectionnés pour participer à la monnaie unique.**

1er janvier 1999 **L'euro devient la monnaie officielle de 11 pays.**

1er janvier 2001 **La Grèce rejoint la zone euro.**

1er janvier 2002 **Les pièces et les billets sont en euros.**

17 février 2002 **Arrêt de l'utilisation des pièces et des billets en francs.**

L'EURO EN EUROPE ET DANS LE MONDE

Plus facile, plus rapide, plus sûr : l'euro facilite les échanges dans la zone euro. Tous vos achats, en espèces ou par carte se font très simplement dans tous les pays de la zone euro.

Change

Avec l'euro, les problèmes de change dans la zone euro disparaissent. Ainsi, il devient plus facile de voyager grâce à des échanges et des comparaisons facilités. Le cours des monnaies hors zone euro continue à être publié dans la presse et dans la plupart des bureaux de Poste.

Zoom info

Pourquoi l'euro ?

Avec l'euro, chacun d'entre nous pourra vendre et acheter dans les 12 pays de la zone euro sans aucuns frais de change. En Finlande comme au Portugal, à Athènes comme à Paris, chaque produit sera affiché dans la même monnaie, ce qui facilitera la comparaison des prix et favorisera la concurrence.

QUIZ : L'EUROPE ET L'EURO

1. Quel est le symbole de l'euro ?
   - ❑ €
   - ❑ £
   - ❑ $
2. Trois pays membres de la CEE ne font pas partie de la zone euro.
   - ❑ vrai
   - ❑ faux
3. Les pays qui font partie de la CEE mais ne font pas partie de la zone euro :
   - ❑ le Portugal, l'Angleterre, l'Allemagne.
   - ❑ l'Angleterre, la Suède, le Danemark.
   - ❑ la Grèce, la Hollande, le Luxembourg.
4. Les pays d'Europe qui ne font pas partie de la CEE :
   - ❑ la Suisse
   - ❑ la Norvège
   - ❑ l'Autriche
   - ❑ la Pologne
   - ❑ l'Italie
5. Le premier nom de la monnaie européenne était l'écu.
   - ❑ vrai
   - ❑ faux
6. CEE signifie :
   - ❑ Communauté des États Européens.
   - ❑ Communauté Économique Européenne.
   - ❑ Conseil Économique Européen.

Questions Réponses

Pourquoi ce nom d'euro ?

« Le Conseil de l'Europe en 1995 a préféré le mot "euro" au mot "écu", précédemment employé, car en allemand, le mot "écu" se prononce comme "eine Kuh" qui signifie une vache. »

C'est beau l'amitié

❶ **Lisez le texte. Répondez aux questions.**

❷ **Donnez votre propre définition de l'amitié.**

❸ **Répondez à l'un de ces messages.**

L'AMITIÉ, VOUS EN ATTENDEZ QUOI ?

X › J'aimerais avoir quelqu'un à qui pouvoir tout confier, comme je me parle à moi-même. Mais c'est presque impossible… Je crois que j'attends trop de l'amitié.

Prophet › Moi aussi, je suis souvent déçu des réactions de mes amis. Mais ils sont comme moi et eux aussi doutent de mon affection ! Ceux qui peuvent répondre à ce besoin seront en fait tes meilleurs amis.

Lili › On peut vivre une très belle histoire d'amour, mais il ne faut pas qu'elle nous fasse oublier les amis avec qui nous avons partagé nos joies et peines. Un ami, ce n'est pas fait que pour essuyer les larmes de l'amour.

Miss*Polux › J'ai des amis merveilleux. Ils sont ma force et mon bonheur, ils m'enrichissent chaque jour. Dans la vie, on ne croise pas ces personnes par hasard.

Chris › L'amitié, c'est hyper important. Est-ce une raison pour traiter ceux qui sont trop timides de « sans amis » ?

Morgane › On ne peut pas trouver l'ami(e) idéal(e) ! Qui mieux que toi peut savoir ce que tu ressens ? On n'a pas besoin de meilleur ami car celui-ci est présent en nous.

Thuhien › D'accord. Mais nous avons quand même besoin des autres pour nous découvrir nous-mêmes.

Sc@d@k › Je suis un gars et, avec ma meilleure amie, on se dit tout ! Je ne sais pas ce que je ferais sans elle. Elle n'est pas moi, mais elle m'écoute quand même !

Une ultra seule › Quand on me parle, je ne suis pas du tout naturelle, j'ai peur de pas bien faire, d'être ridicule et « conne ». Donnez-moi le goût de l'amitié, SVP.

J.-J. › J'ai déménagé et quitté tous mes amis. Je pensais avoir retrouvé de nouvelles amies, mais j'ai l'impression qu'elles sont hypocrites et prêtes à me lâcher.

Dimitri › Moi, j'ai une ex-professeur en tant que très bonne amie. Je lui donne mes écrits depuis un an ou deux et depuis, des liens se sont tissés. J'ai 13 ans, elle en a bien 45, mais c'est une amitié sincère.

Lalou › On le dit souvent, l'amour, contrairement à l'amitié, n'est pas éternel…

Moualouzima › L'amitié, non plus, n'est pas éternelle. Elle peut très bien se briser face à quelque chose d'inconnu. Du moins, si elle ne se brise pas, elle s'estompe fortement !

Personne › L'amitié fait naître la colère. L'amour fait naître la haine !

Franck › J'ai des sentiments amoureux et des sentiments amicaux, je les crois réciproques, j'ai déjà souffert des deux, mais ils me procurent un bien-être que rien d'autre n'égale.

Extrait de *Phosphore*, le magazine des 15-25 ans, mars 2002.

❹ **Attribuez chacune des phrases suivantes à l'un des participants au forum de *Phosphore*.**

1. L'amitié n'est pas nécessaire. Mon meilleur ami, c'est moi.
2. Les amis permettent de savoir qui nous sommes.
3. C'est difficile de trouver des amis quand on se trouve dans un lieu nouveau.
4. Je n'ai pas d'ami car je suis trop exigeant(e) en amitié.
5. L'amitié, c'est pour toujours.
6. L'amitié, ça ne dure pas toujours.
7. L'amitié, c'est comme l'amour : on en souffre ou on en éprouve de grandes joies.
8. Quand on est jeune, on peut avoir des amis beaucoup plus âgés.
9. Quand on est amoureux, il ne faut pas oublier ses amis.
10. Souvent, quand on n'a pas d'ami(e), c'est parce qu'on est trop timide.

Culture(s)

Les mots sont des images

Réalisez les activités proposées et cherchez, dans votre propre langue, des expressions similaires ou essayez d'expliquer en français le sens de certaines expressions imagées propres à votre langue.

LES MOTS SONT DES IMAGES

Les Français utilisent fréquemment, à travers des expressions imagées, des objets, des animaux ou des produits qui font partie de leur environnement quotidien. Les fruits, les légumes sont présents dans de nombreuses expressions populaires : « C'est la fin des haricots » signifie qu'on se trouve dans une situation catastrophique, quelqu'un qui « sucre les fraises » est quelqu'un qui tremble. Les animaux sont également très présents dans ces expressions : « Quel temps de chien ! » dira-t-on un jour de mauvais temps et « quelle tête de mule ! » à propos de quelqu'un qui est très obstiné.
Les aliments ne sont pas oubliés : « C'est du gâteau » qualifie quelque chose qui est facile à réaliser et « prendre une tarte » signifie « recevoir une gifle ».
Citons encore quelques ustensiles présents dans la cuisine qui donnent :
– « Il n'est pas dans son assiette » qui signifie « il ne va pas bien, il est un peu malade ».
– « Il chante comme une casserole » qui signifie « il chante faux ».

Les légumes

Choisissez la bonne réponse.

1. **Il m'a raconté des salades.**
   signifie :
   ❑ Il a menti.
   ❑ Il a dit la vérité.
   ❑ Il m'a raconté sa vie.

2. **Je la trouve un peu courge, Zoé.**
   signifie :
   ❑ Zoé est un peu grosse.
   ❑ Zoé est assez sympa.
   ❑ Zoé est un peu bête.

3. **Il est rouge comme une tomate.**
   signifie :
   ❑ Il a pris un coup de soleil.
   ❑ Il a bronzé.
   ❑ Il est content.

4. **Ce film, c'est un navet.**
   signifie :
   ❑ C'est un mauvais film.
   ❑ C'est un excellent film.
   ❑ C'est un film triste.

5. **C'est bête comme chou.**
   signifie :
   ❑ C'est très compliqué.
   ❑ C'est idiot.
   ❑ C'est très simple.

6. **Ce n'est pas mes oignons.**
   signifie :
   ❑ Ce n'est pas à moi.
   ❑ J'ai un problème.
   ❑ Ce n'est pas mon problème.

Culture(s)

Les fruits

Choisissez la bonne réponse et associez chaque expression à une image.

1. Il n'a rien dans le citron.
signifie :
❏ Il n'a pas d'argent.
❏ Il n'a rien dans la tête.
❏ Il n'a rien dans l'estomac.

2. Moi, je ne veux pas faire ça pour des prunes !
signifie :
❏ Je fais ça gratuitement !
❏ Je suis content de faire ça !
❏ Je veux être payé !

3. Il est tombé dans les pommes.
signifie :
❏ Il a été très surpris.
❏ Il a fait une chute.
❏ Il s'est évanoui.

4. Il me prend pour une poire !
signifie :
❏ Il m'admire beaucoup.
❏ Il croit que je suis un imbécile.
❏ Il est très gentil avec moi.

5. J'ai la pêche !
signifie :
❏ Je suis en pleine forme.
❏ J'ai mal à la tête.
❏ J'ai de la chance.

Les aliments

Mettez en relation chaque expression imagée et sa signification.

		signification
1	Ça va tourner au vinaigre.	
2	Il a mis de l'eau dans son vin.	
3	Il me casse du sucre sur le dos.	
4	Quelle nouille !	
5	Tu as du blé ?	

a. Il dit du mal de moi.
b. Ça va mal se terminer.
c. Il est bête !
d. Tu as de l'argent ?
e. Il est plus modéré.

Culture(s)

Les animaux

Essayez de trouver une explication à chaque expression.

J'ai une faim de loup.

J'ai la chair de poule.

C'est un âne.

Il est heureux comme un poisson dans l'eau.

C'est une langue de vipère.

Ils s'entendent comme chien et chat.

Sur la table

Mettez en relation les expressions imagées avec leur signification.

		signification
1	C'est une bonne fourchette.	
2	Il a bu la tasse.	
3	Il a mis les pieds dans le plat.	
4	Il n'a pas de bol.	
5	Il s'est mis à table.	
6	On l'a ramassé à la petite cuillère.	

a. Il a avoué.
b. Il a bon appétit.
c. Il a coulé au fond de la piscine.
d. Il a fait une gaffe.
e. Il était complètement épuisé.
f. Il n'a pas de chance.

poésie littérature

Romans

❶ **Lisez les résumés et mettez-les en relation avec les extraits de romans qui suivent.**

LES RÉSUMÉS

L'itinéraire d'une femme qui veut échapper à l'amour de sa famille, de son mari, de ses amis pour trouver son propre rythme en accord avec la nature.

a

C'est un projet de roman inachevé à caractère autobiographique; l'auteur parle de ceux qu'il aimait et de la recherche de son père.

b

C'est l'histoire d'un amour entre une jeune fille européenne et un homme chinois que beaucoup de choses séparent. Cela se passe en Asie.

c

Ce roman nous propose une réflexion nostalgique sur le temps. Il dit la douceur de l'oisiveté.

d

Le narrateur évoque sa rencontre avec une femme qui bouleverse sa vie.

e

LES EXTRAITS

A

Ah, où sont-ils, les flâneurs d'antan ? Où sont-ils, ces héros fainéants des chansons populaires, ces vagabonds qui traînent d'un moulin à l'autre et dorment à la belle étoile ? Ont-ils disparu avec les chemins champêtres, avec les prairies et les clairières, avec la nature ? Un proverbe tchèque définit leur douce oisiveté par une métaphore : ils contemplent les fenêtres du bon Dieu. Celui qui contemple les fenêtres du bon Dieu ne s'ennuie pas ; il est heureux. Dans notre monde, l'oisiveté s'est transformée en désœuvrement, ce qui est tout autre chose : le désœuvré est frustré, s'ennuie, est à la recherche constante du mouvement qui lui manque.

B

L'homme élégant est descendu de la limousine, il fume une cigarette anglaise. Il regarde la jeune fille au feutre d'homme et aux chaussures d'or. Il vient vers elle lentement. C'est visible, il est intimidé. Il ne sourit pas tout d'abord. Tout d'abord il lui offre une cigarette. Sa main tremble. Il y a cette différence de race, il n'est pas blanc, il doit la surmonter, c'est pourquoi il tremble. Elle lui dit qu'elle ne fume pas, non merci. Elle ne dit rien d'autre, elle ne dit pas laissez-moi tranquille. Alors il a moins peur. Alors il lui dit qu'il croit rêver. Elle ne répond pas. Ce n'est pas la peine qu'elle réponde, que répondrait-elle. Alors il le lui demande : mais d'où venez-vous ? Elle dit qu'elle est la fille de l'institutrice de l'école de filles de Sadec. Il réfléchit et puis il dit qu'il a entendu parler de cette dame, sa mère, de son manque de chance avec cette concession qu'elle aurait acheté au Cambodge, c'est bien ça n'est-ce pas ? Oui c'est ça.
Il dit que c'est tout à fait extraordinaire de la voir sur ce bac.
[…] Elle sait. À partir de son ignorance à lui, elle sait tout à coup : il lui plaisait déjà sur le bac. Il lui plaît, la chose ne dépendait que d'elle seule.

C

Tête nue, les cheveux coupés ras, le visage long et les traits fins, de bonne taille, le regard bleu et droit, l'homme, malgré la quarantaine, paraissait encore mince dans son imperméable. Les mains solidement placées sur la barre d'appui, le corps en appui sur une seule hanche, la poitrine dégagée, il donnait une impression d'aisance et d'énergie. Le train ralentissait à ce moment et finit par stopper dans une petite gare minable. Au bout d'un moment, une jeune femme assez élégante passa sous la portière où se tenait l'homme.

D

Non, pas question de retrouver une famille dans cet hôtel. Je n'ai plus besoin de père, de mère, de mari. J'ai eu tout ça, en quantité suffisante. J'ai seulement besoin de sentir l'air frais dans mon cou, entre la peau et le chemisier, de tacher mes yeux avec le vert des sapins, un vert foncé, fort.
Je me sens comme celle que j'ai entrevue tout à l'heure, au dessus d'un pré, une alouette. Elle filait de la terre au ciel, droit d'elle-même à elle-même dans un palpitement de plumes et de chant.
Le loup c'était moi, derrière les barreaux, ensommeillée. L'alouette c'est moi, dans l'air bleu, vibrante de petit délire calme.
Hier une cage, aujourd'hui, un ciel.
Je fais des progrès.

E

Puis Irène est arrivée.
Rien ne ressembla plus alors à ce que j'avais connu.
Avec elle, tout me devint étranger, j'apprenais, elle innovait, j'aimais, elle aimait, je questionnais, elle se taisait. [...]
C'est cruel un amour.
Ça ne prend rien aux étoiles ni aux fleuves. Ça vit en animal dans une tanière de misère et s'enterre sur place, au milieu des acacias et des ronces, là où il a existé, là où il a pris. C'est une inquiétude, un rêve manqué, une illusion. C'est une parenthèse de vie entre des tableaux, une symphonie et des haut-parleurs de gares. Car il n'y a que des séparations et il n'y a que des retrouvailles. Les débuts et les fins s'enchaînent pour que le temps demeure absent. C'est une dépense inouïe de mots, de gestes, de silences afin qu'une grammaire inédite trouve sa place entre deux personnes différentes. [...]
Chacun pense à la fin, l'appréhende, mais les mots prononcés, les gestes assumés tracent déjà des points de suspension d'une phrase commencée.
Alors on imagine une strophe, un paragraphe, et c'est un roman qui s'annonce avec ses chapitres, ses drames et son point final.

❷ Identifiez le titre du roman.

1. *La Folle Allure,* Christian Bobin, 1995.
2. *La Lenteur,* Milan Kundera, 1995.
3. *Le Premier Homme,* Albert Camus, 1994 (posthume).
4. *Le Prochain Amour,* Yves Simon, 1996.
5. *L'Amant,* Marguerite Duras, 1984.

❸ Est-ce que vous avez trouvé les réponses :
– à cause du thème de l'extrait ?
– à cause de certains mots que vous avez reliés au titre, lesquels ?
– à cause d'un indice dans l'extrait qui correspond à un des titres ?

❹ Essayez ensuite d'associer l'extrait qui suit à un des extraits précédents et à un titre.

J'ai oublié de vous dire mon nom. Eh bien je m'appelle Aurore, voilà, vous savez tout. Non je plaisante : je m'appelle Belladonne. Et puis aussi : Marie, Ludmilla, Angèle, Emily, Astrée, Barbara, Amande, Catherine, Blanche. Je plaisante, plus c'est grave et plus j'aime rire : c'est l'héritage de ma mère. Les noms c'est grave. Le nom de famille vous tombe dessus à la naissance, de plus en plus lourd avec l'âge, comme la pluie qui bruine et s'infiltre sous les vêtements les plus épais.

❺ Dites quel extrait vous préférez et pourquoi.

1. Compréhension orale

Écoutez les enregistrements et indiquez la phrase qui correspond le mieux à l'opinion formulée dans chaque enregistrement.

		dialogue
A.	La personne est « pour », mais à certaines conditions.	
B.	La personne est « pour », mais pense que le résultat ne sera pas positif.	
C.	La personne est « contre », mais pense qu'on peut améliorer la situation.	
D.	La personne trouve que c'est bien, mais impossible à réaliser.	

2. Expression orale

À partir des éléments suivants et d'autres que vous trouverez vous-mêmes, préparez par deux un débat de 2 à 3 minutes en prenant deux points de vue contradictoires sur la circulation au centre-ville.

- Interdire complètement la circulation.
- Autoriser la circulation aux habitants du centre et aux livraisons.
- Favoriser l'installation de commerces au centre.
- Élargir les rues et laisser la circulation libre.
- Autoriser les voitures électriques.
- Mettre des vélos à la disposition de tous.
- Ne pas enlever la vie du centre.
- Créer des lieux plus conviviaux.
- Créer des parkings gratuits souterrains.
- Regrouper les salles de spectacle, les cafés et les cinémas au centre.
- Faire payer une taxe aux supermarchés à l'extérieur de la ville.

1. Compréhension écrite

Remettez dans l'ordre le texte qui suit.

a. Pour en terminer sur ce point, il faudra également améliorer le système de fermeture de la piscine une partie de l'année compte tenu du climat, le système d'une cloche en verre transportée par trois hélicoptères est irréaliste.

b. Enfin, je pense qu'il faudra diversifier l'offre sur le plan culturel ; envisager la construction d'une salle uniquement réservée à des concerts de rap est trop restrictif.

c. Globalement, ce projet me semble très séduisant et serait sans doute très apprécié par les habitants de notre ville qui pourraient faire du sport et se distraire en trouvant de nombreuses possibilités au centre-ville.

d. Monsieur,
J'ai lu avec attention et intérêt votre rapport sur l'installation d'un complexe sportif et culturel au centre-ville, il appelle de ma part plusieurs remarques.

e. Ma deuxième remarque portera sur le choix des activités sportives, si l'installation d'une piscine me semble réalisable, la pratique de sports comme le tir à l'arc ou le cricket n'est pas à mon avis adaptée à cet environnement.

f. Je vous remercie de votre collaboration et je vous prie d'agréer, Monsieur, l'expression de mes sentiments distingués.

g. Je voudrais tout d'abord souligner le sérieux de votre étude et sa qualité. Ainsi, vous n'avez pas hésité à visiter plusieurs villes en Europe et dans le monde pour vous faire une idée concrète de différentes réalisations, votre note de frais en témoigne.

h. Je serai très heureux de vous rencontrer pour évoquer le détail de ce projet dans le courant du mois de mai.

i. Si on peut dépasser cette première difficulté, je voudrais relever plusieurs points qui m'apparaissent discutables. Le coût de l'opération me semble très élevé par rapport aux finances de notre ville. Nous pourrions sans doute, comme vous le suggérez, envisager de lancer une souscription et de trouver des taxes nouvelles pour financer le projet.

j. Cependant, l'obstacle le plus important me semble être la destruction de plusieurs immeubles situés au centre. Il faudrait, comme vous le soulignez, envisager de reloger environ 800 personnes à l'extérieur du centre.

Ordre du texte :

1	2	3	4	5	6	7	8	9	10
d									

2. Expression écrite

Rédigez un texte court pour dire si vous avez aimé ou non un texte de *Studio 100 - Niveau 2*. Vous devez donner au moins trois raisons qui expliquent votre opinion et trois éléments qui nuancent votre opinion.

1. Objectifs de l'épreuve A2 du DELF

Expression des idées et sentiments

Objectif global

Identifier et exprimer des sentiments, des intentions, des opinions et points de vue, des arguments.

	durée	préparation	coefficient
Épreuves écrites			
1. Identification des intentions et des points de vue exprimés dans un document.	0 h 30	–	1
2. Expression d'une attitude ou d'une prise de position personnelle à partir de questions évoquées dans le document de l'écrit 1.	0 h 45	–	1
Épreuve orale Présentation et défense d'un point de vue à partir d'un sujet simple et précis face à un interlocuteur.	0 h 15 maximum	0 h 30 maximum	2

2. Barème de correction de l'épreuve orale

Grilles d'évaluation

Selon la formule adoptée par le centre d'examen, on utilisera l'une ou l'autre des grilles suivantes.

Formule 1 (support : question ou phrase polémique)

Capacité à communiquer 10
- Capacité à présenter/lancer le débat 2
- Cohérence et précision du contenu 8
- Capacité à justifier/défendre/nuancer sa position, à argumenter

Compétence linguistique 10
- Compétence phonétique et prosodique Fluidité 3
- Compétence morphosyntaxique 4
- Compétence lexicale 3

« Prime de risque » (bonus) 2

Formule 2 (support : document iconographique)

Capacité à communiquer 10
- Capacité à formuler une interprétation et à dégager un thème de discussion 3
- Cohérence et précision du contenu 7
- Capacité à justifier/défendre/nuancer sa position, à argumenter

Compétence linguistique 10
- Compétence phonétique et prosodique Fluidité 3
- Compétence morphosyntaxique 4
- Compétence lexicale 3

« Prime de risque » (bonus) 2

1. Écrit 1 / Compréhension

❶ Lisez le document suivant puis répondez aux questions.

Forum de discussion sur les jeux vidéo

Dimitri : moi, je suis complètement pour, ça me permet de développer des attitudes et des capacités que je n'aurai jamais dans la réalité. En fait, j'affronte des situations totalement inédites.
Space : c'est impossible, ma sœur passe son temps collée à l'ordinateur au lieu de travailler, elle perd tout son temps libre au lieu de voir des gens.
Chris : une façon de m'évader du réel, comme un bon bouquin, une bonne musique, oui, j'y passe un peu de temps mais c'est très ponctuel.
Lalou : je déteste l'informatique, je déteste ce qui n'est pas humain, je préfère aller chez des amis, parler; c'est la négation de la vie.
J.-J. : j'aime bien jouer de temps en temps, mais quand je commence il faut que j'aie une soirée devant moi, ce que je préfère ce sont les jeux d'arcade, j'aime bien me laisser emporter, ne plus m'arrêter.
Lili : c'est ma vie, je connais tout, j'achète toutes les revues, je passe mon temps libre dans les magasins pour voir et le soir, je joue, le bonheur.
Morgane : j'ai bien aimé à un moment mais maintenant j'ai d'autres centres d'intérêt dans la vie, mais c'est un bon moyen d'apprendre, de se tester.

- Est-ce que vous savez ce qu'est un forum de discussion ?
- Quel est le sujet du forum de discussion ?

❷ Attribuez les avis suivants à un des participants (Dimitri, Space, Chris, Lalou, J.-J., Lili ou Morgane).

		participants
1	C'est au centre de tout.	
2	C'est loin de l'humanité.	
3	C'est à consommer avec modération.	
4	C'est un plaisir dépassé.	
5	Cela peut ouvrir et permettre d'apprendre.	
6	C'est quelque chose que je refuse.	
7	C'est un passe-temps comme un autre.	
8	Je ne comprends pas les gens qui consacrent leur temps à ça.	
9	Il n'y a pas que ça dans la vie.	
10	C'est sortir de la réalité.	

2. Écrit 2 / Expression

Répondez à une lettre de lecteur qui défend l'utilité des jeux vidéo dans l'éducation.

3. Oral

Quelques exemples de sujets :

- Pensez-vous que nous vivons en accord avec notre environnement ?
- Faut-il conserver de façon volontaire les traditions dans une société ?
- Qu'est-ce qui est le plus important dans l'éducation d'un enfant ?
- Est-ce que les technologies apportent un progrès dans le mode de vie ?
- Doit-on revenir à des valeurs traditionnelles pour être plus heureux ?
- Est-ce que la vie politique permet aux femmes d'avoir une participation égale à celle des hommes ?

PARCOURS 1

Séquence 0 : Remise en forme

Page 9
Arrivée à Roissy

1. Arrivée du vol 834 Niamey-Paris, porte 43.
2. Porte 31 embarquement immédiat à destination de Seoul.
3. Les passagers en transit pour Tokyo sur le vol JA 5230 sont priés de se présenter à la porte 12.
4. Les passagers Ramirez, Lopez et Alvarez sont attendus porte 56.
5. Le vol d'Air France en provenance de Quito est annoncé avec un retard de 2 heures et 15 minutes.
6. Arrivée du vol AF 390 porte 56.
7. Vol KLM 392 à destination de Mexico embarquement immédiat porte 54.
8. Vol AF 430 pour Londres, dernier appel.

Page 10
Dans la capitale

1. – Vous êtes M. Lopez ?
   – Oui.
   – Enchanté, je suis Pierre Morel, un collaborateur de M. Dumont. M. Dumont n'a pas pu venir. Il s'excuse. Il vous retrouvera ce soir à votre hôtel. Tenez, c'est un petit mot de sa part.
   – Très bien. Merci.
   – Allons-y.
2. – Bonjour mademoiselle.
   – Bonjour monsieur.
   – J'ai une réservation au nom de Sergio Lopez.
   – Oui, pour cinq nuits ?
   – Oui, c'est ça.
   – Chambre 256.
   – Merci.
3. 15 heures, notre flash d'informations : les violents orages de jeudi soir sur le sud-ouest de la France ont provoqué plusieurs millions de dégâts. Plusieurs milliers d'habitants sont encore privés d'électricité. Pour ce week-end du 15 août, la circulation est dense sur tout le réseau routier. C'est une journée rouge. Soyez prudents et, si vous le pouvez, remettez votre retour à demain.
4. – Un Perrier, s'il vous plaît !
   – Voilà, ça fait 4 euros.
   – Merci !
5. – Jacques, bonsoir.
   – Sergio, comment allez-vous ? Vous avez fait un bon voyage ?
   – Bien, pas de problèmes.
   – Venez, nous allons prendre quelque chose et parler de cette conférence.
   – Volontiers.
6. – *Allô, bonjour Françoise.*
   – …
   – *Oui, je viens d'arriver, je suis installé à l'hôtel.*
   – …
   – Oui, oui, le voyage s'est bien passé. Tu as reçu ma carte postale de Rome ?
   – …
   – Oh, je vais aller me promener. Je rencontre Jacques Dumont à 8 heures à l'hôtel.
   – …
   – Non, il n'a pas pu venir à l'aéroport.
   – …
   – Les enfants vont bien ?
   – …
   – Allez, je te rappelle demain, je t'embrasse.

Page 11
Une journée bien remplie

1. – Un grand crème et deux croissants.
   – Voilà !
   – Ça fait combien ?
   – 7 euros.
   – Merci !
2. – Trois salades pour deux euros.
   – Une laitue et deux kilos de pommes de terre.
   – Et avec ça, ma p'tite dame ?
   – Ça ira, merci.
   – Vous n'avez pas d'artichauts ?
   – Si, là.
3. – Le bus arrivait très vite, il n'a pas pu éviter la voiture en face !
   – C'est grave ?
   – Ah ! je sais pas, j'ai rien vu.
   – Un peu de patience, on va dégager la rue.
   – Qu'est-ce qui se passe ?
   – Un accident.
4. – En raison de travaux, la ligne 4 sera fermée au public aujourd'hui à partir de 22 heures.
5. – Allô, Miriam ?
   – …
   – Oui, je suis à Paris.
   – …
   – Oui, ça va.
   – …
   – Et toi ? et François ?
   – …
   – Jusqu'à samedi.
   – …
   – Oui, je passerais bien une soirée avec vous.
   – …
   – Il faut combien de temps en train ?
   – …
   – Bon, je vais aller à la gare faire une réservation.
   – …
   – Mercredi c'est difficile mais jeudi, c'est possible.
   – …
   – D'accord, on fait comme ça et je te rappelle.
6. – Pour Blois jeudi à 16 h…
   – Non fumeurs 2e classe !
   – 30 euros !
   – On arrive à quelle heure ?
   – 17 h 05.
   – Vous voulez un retour ?
7. – 97 euros ! Par carte ?
   – Voilà.
   – Merci.

Pages 12-13
Un peu de tourisme

Ce soir, les Parisiens pourront profiter du dernier spectacle de Jean-Michel Jarre au pied du monument le plus connu de France.

1. En direct de Matignon, Charles Dubois devrait annoncer la démission du ministre de l'Intérieur qui faisait partie du gouvernement depuis trois ans.
2. Le président de la République s'avance sur le perron pour accueillir le chef de l'État algérien. C'est la première visite officielle du président algérien dans un pays européen.
3. Ce soir demi-finale de la coupe d'Europe France-Portugal.
4. Sur le court central, Pioline est en difficulté face à Sempras.
5. Beaucoup de visiteurs ce week-end sur la plus célèbre avenue de Paris pour admirer les sculptures de Botero, 26 pièces exposées tout au long de l'avenue.
6. Alors ces pastis, ça vient ?
7. À marée basse, vous accéderez à ce site incomparable sans problèmes.
8. Un week-end dans ce parc d'attraction : entrée, une nuit d'hôtel pour 4 personnes : 40 euros.
9. Chef-d'œuvre architectural pour les uns, bâtiment non-fonctionnel et coûteux pour les autres, il accueille désormais nos députés.
10. La restauration n'a pas été inutile, le centre culturel des années 70 a été relooké. On admirera particulièrement la bibliothèque.

Page 14
La traversée de Paris

Le cortège arrive place de la Bastille. Il prend le boulevard Henri IV, il se dirige vers l'Hôtel de Ville en laissant à gauche l'île Saint-Louis et Notre-Dame. Le président de la République semble très décontracté aux côtés du roi d'Espagne. La voiture présidentielle arrive Place du Châtelet, elle prend la rue de Rivoli, elle traverse la Seine au pont Neuf. Le cortège est maintenant sur les quais, il passe devant le musée d'Orsay et arrive devant l'Assemblée nationale où le souverain espagnol doit prononcer un discours devant les parlementaires français.

PARCOURS 1

Séquence 1 : Paroles

Page 15
D'un discours à l'autre

1. – Alors ? Qu'est-ce qu'il t'a dit ?
   – De prendre un numéro et d'attendre mon tour. Voilà, c'est le 108.
   – Numéro 68 ! Numéro 68 ! C'est votre tour !
   – Oh ! là, là ! il y a beaucoup de monde devant nous.
2. – Qu'est-ce qu'il veut ?
   – Il demande à voir le patron. Il n'est pas content. Il dit qu'il y a une erreur dans l'addition.
   – Bon, j'y vais.
3. – How are you ?
   – Qu'est-ce qu'il dit ?
   – Il vous demande si vous allez bien.
   – Dites-lui que je vais très bien et souhaitez-lui la bienvenue !
   – El señor esta muy bien. Està usted bienvenido.
   – Danke schön.
4. – Comment est-ce que je peux trouver un numéro de téléphone sur le minitel ?
   – Tu fais le 3611.
   – Voilà.
   – Tu tapes le nom de la personne.
   – Martin.
   – Le nom de la ville.
   – Tours.
   – Tu peux aussi taper son prénom.
   – François.
5. – Tu as reçu mon mél ?
   – Oui.
   – Alors qu'est-ce que tu en penses ?
   – Je l'ai lu. C'est pas mal, comme idée.
   – Si tu veux, on déjeune ensemble en début de semaine et on en reparle ?
   – D'accord. Lundi... chez Georges ?
   – D'accord. À lundi.

Page 16
Qu'est-ce qu'il a dit ?
Dialogue témoin :
Bonjour Maryse, vous avez passé un bon week-end ?

1. Ce petit ensemble bleu vous va très bien...
2. Alors, monsieur Lefranc, le mariage de votre fille s'est bien passé ?
3. Bonjour Lambert. Vous avez l'air en forme ce matin.
4. Est-ce que vous avez des nouvelles de mademoiselle Dumas ?
5. Est-ce que vous pouvez passer dans mon bureau avant midi ? J'ai deux ou trois questions à régler avec vous.
6. Est-ce que vous savez pourquoi M. Lenoir n'est pas là ce matin ?
7. Quand est-ce que vous irez à Lyon ?

Page 17
Encore des discours
Dialogue témoin :
Je lève mon verre à l'amitié entre les peuples ! Bienvenue et bon séjour dans notre belle ville de Dijon !

1. Si je vous ai tous réunis aujourd'hui, c'est pour vous annoncer que malheureusement, je vais vous quitter. Je suis nommé directeur commercial de notre filiale de Tokyo. Je voudrais vous remercier pour votre collaboration et pour l'excellent travail que nous avons réalisé ensemble.
2. – J'ai une grande nouvelle à vous annoncer. Je vais me marier !
   – Avec Martine ?
   – Comment est-ce que vous avez deviné ? Ce sera le 12 juin et j'espère que vous serez tous là.
3. Je ne vais pas vous faire un long discours. Je vous dis simplement bravo à tous. Bravo et merci pour votre travail ! Bravo pour la réussite de ce projet ! Vous êtes une équipe formidable !
4. J'ai reçu une lettre de Gérard Lanvin. Il vous salue. Il dit que tout va bien pour lui et que vous lui manquez beaucoup.

Page 18
Paroles en action
Série 1
– Non, c'est impossible. Vous ne pouvez pas entrer !
– D'accord, vous pouvez entrer !
– Vous ne pouvez pas rester là. Vous devez entrer.
– Vous devriez entrer.
– Vous désirez entrer quelques instants ?
Série 2
– Si vous voulez, suivez-moi, je vais dans la même direction que vous.
– Police ! Suivez-moi !
– S'il vous plaît, vous voulez bien me suivre ?
– Vous pouvez arrêter de me suivre partout ?
– Vous devriez me suivre, le passage est dangereux.
Série 3
– S'il vous plaît, aidez-moi !
– Vous pourriez m'aider ?
– À l'aide ! À l'aide !
– Je peux vous aider ?
– Non, je n'ai pas besoin de vous.

Page 19
Qu'est-ce qu'ils ont dit ?
Dialogue témoin :
1. Je vous aime !
2. Je ne dirai rien !
3. Le 60e festival de Cannes est ouvert !

Série 1
1. Le coupable s'appelle Claude Durand.
2. C'est moi qui ai mis le feu à la maison.
3. Ce n'est pas moi. Je ne suis pas coupable !

Série 2
1. Je vais vous raconter ça encore une fois.
2. Il m'est arrivé une drôle d'histoire.
3. Vous ne croyez pas ce que je raconte ?

Série 3
1. Je ne veux pas le rencontrer !
2. D'accord, on se voit à 15 heures à mon bureau.
3. J'aimerais vous rencontrer.

Série 4
1. Je ne suis pas d'accord avec votre analyse de la situation.
2. Votre analyse de la situation est excellente !
3. Je fais la même analyse de la situation que vous.

Page 20
Mais qu'est-ce que ça veut dire ?
Dialogue témoin :
– Vous dansez mademoiselle ?
– Non, désolée, je suis fatiguée.
– Alors ?
– Elle a refusé de danser avec moi.

1. – Vous prenez un café ?
   – Non, merci, je viens d'en prendre un.
2. – Tu viens dîner à la maison demain soir ?
   – Peut-être, je ne sais pas encore, je crois que j'ai une réunion assez tard en fin d'après-midi.
3. – Lambert ! Vous êtes encore en retard !
   – Monsieur le directeur, j'ai eu un problème de voiture ce matin, j'ai appelé un garagiste et le temps qu'il arrive, vous comprenez, c'est pour ça que je suis en retard...
4. – Je déménage ce week-end, tu pourrais m'aider ?
   – Oui, d'accord, tu veux commencer à quelle heure ?
5. Monsieur le président, ce n'est pas moi, j'étais à Montpellier quand le vol a eu lieu, j'ai un alibi.
6. Ben, oui, c'est moi qui ai pris tes clés et je ne sais pas comment j'ai fait, je les ai perdues...
7. – Tu as l'air fatiguée, tu devrais prendre des vacances ou voir un médecin.
   – Tu as raison, j'ai la grippe et j'ai eu une semaine terrible.
8. Oui, c'est vrai, je me suis trompée sur Albert, je pensais qu'il était plus intelligent.

Séquence 2 : Textes et paroles

Page 21
Hum ! C'est bon...

1. – Moi, je m'occupe du dessert. Allez, je vous fais une tarte.
   – Tu sais faire la pâtisserie, toi ?
   – Oh ! Ce n'est pas difficile : un peu de pâte, des fruits, un four... et c'est fini !
   – C'est sympa. Moi, j'adore les desserts.

PARCOURS 1

2. – Qu'est-ce que tu prépares ? Ça a l'air bon !
   – Ah! Surprise... C'est une recette que j'ai apprise en Grèce. Le secret de la réussite, c'est la marinade.
   – Tu la fais avec quoi ?
   – Avec du jus de citron, un peu de vin et puis de l'huile d'olive et, bien sûr, des herbes.
   – Et la viande, c'est quoi ?
   – C'est de l'agneau.
   – On va se régaler.
3. – Qu'est-ce qu'on mange ce soir?
   – Ce soir on mange léger: tu es au régime, mon vieux.
   – Qu'est-ce que ça veut dire « léger » ?
   – Eh bien, une salade, avec plein de légumes frais... Léger, mais délicieux !

Page 22
Vacances en famille
Dialogue témoin :
– Bonjour...
– Bonjour, madame, bonjour, monsieur. Que recherchez-vous ?
– Nous voulons partir deux semaines en juillet...

– Nous aimerions partir en Bretagne, dans un endroit calme mais avec un grand choix d'activités.
– Je vous conseille la presqu'île de Crozon, il y a de nombreuses promenades à faire. C'est un endroit très agréable, il y a des plages, des falaises, vous pouvez faire des promenades en mer...
– Et les activités culturelles ?
– Il y a des monuments à visiter, des menhirs, des églises anciennes comme à Camaret, plusieurs ateliers d'artistes si vous aimez la peinture, la poterie...
– Et si nous voulons faire du sport ?
– Il y a vraiment beaucoup de possibilités. Il y a une base nautique à Crozon pour pratiquer la voile, le surf, le canoë. Vous pouvez aussi faire de l'équitation, du VTT, du tennis, du parapente. Il y a également des clubs pour les enfants.
– Et sur le plan pratique, comment peut-on y aller ?
– Vous pouvez prendre le train jusqu'à Brest puis le bus jusqu'à Crozon, mais je vous conseille d'y aller en voiture, c'est plus pratique pour vous promener, c'est à 5 heures de Paris.
– Et pour l'hébergement ?
– Alors, vous avez plusieurs campings. Il faut compter 20 euros par jour à quatre, sinon, il y a de charmants petits hôtels, il faut compter entre 60 et 70 euros par jour, mais il faut réserver assez vite.

Page 23
Carte postale
Dialogue témoin :
– Qu'est-ce que tu fais ?
– C'est bientôt la fin des vacances et on n'a pas encore écrit une seule carte postale ! Celle-là, c'est pour ma sœur.
– Qu'est-ce que tu lui dis ?

– Que nous passons de bonnes vacances, que la Provence est belle. Je lui parle de la petite maison que nous avons louée, je lui dis que tu es en pleine forme, que tu as fait des progrès en tennis mais que malheureusement, il va falloir rentrer à Paris et qu'on passera la voir à notre retour pour reprendre le chat et le poisson rouge.
– Tu lui as souhaité un bon anniversaire ?
– Ah non, tu as raison, c'était hier son anniversaire. J'avais oublié !
– Tu lui fais de grosses bises de ma part.
– D'accord. Et toi, tu as envoyé une carte à ta mère ?
– Non pas encore.

Page 23
Phonétique : expression de l'insistance
Exemple :
– Arrête !
– Non !
– Arrête ! Je t'ai dit d'arrêter !

1. – Viens ici !
   – Non !
   – Viens ici!
2. – Dépêche-toi !
   – Pfff !
   – Dépêche-toi !
3. – Ne bouge pas!
   – Oh !
   – Ne bouge pas !
4. – Donne-moi ça !
   – Non !
   – Donne-moi ça !
5. – Taisez-vous !
   – Taisez-vous !
6. – Ne restez pas là !
   – Si!
   – Ne restez pas là !

Page 24
Votre proposition m'intéresse
Dialogue témoin :
– Qu'est-ce que je réponds à M. Lemoine ?
– J'ai lu son manuscrit. Dites-lui que je le trouve très intéressant mais un peu trop technique.

J'aimerais le rencontrer. Proposez-lui un rendez-vous pour jeudi ou vendredi prochain. Donnez-lui mon numéro de téléphone personnel à Chamonix, je pars quelques jours à la montagne. C'est le 04 50 55 71 11.

Page 25
Vous avez du courrier
Dialogue témoin :
– Mademoiselle Leduc ! Rien de spécial au niveau du courrier ?
– Si, M. Leroy. Il y a un fax de Pierre Lecomte.
– Qu'est-ce qu'il dit ?

– Qu'est-ce que je lui réponds ?
– Dites-lui que c'est d'accord pour le 20 octobre, mais que je ne pourrai pas être à Paris avant 11 h. Proposez-lui de déjeuner avec moi, à midi, au Terminal Nord, juste en face de la gare du Nord. Cela nous permettra de faire le point pour la réunion du lendemain. Demandez-lui aussi d'apporter son projet de contrat.

Page 25
Françaises, Français...
1. Chers compatriotes, permettez-moi, au seuil de cette nouvelle année, de vous présenter mes vœux de bonheur et de prospérité...
2. Je tiens à exprimer mon désaccord avec la politique menée par le gouvernement sur le plan économique et social.
3. J'ai décidé de donner la priorité à la lutte contre le chômage et l'exclusion sociale.
4. – Bonjour, monsieur. C'est pour un sondage.
   – Ah bon?
   – Approuvez-vous l'action du gouvernement?
   – Ben ouais...
   – Et vous, madame ?
   – Bof...
5. Ce qu'a affirmé M. Prune concernant la vente des usines Birault est totalement faux. Rien n'est fait, a déclaré le PDG de cette entreprise.
6. Mon père n'est pas Albert Lambert mais Jacques Perrier, a déclaré hier Jacques Lambert dans une conférence de presse.
7. Nous ne céderons pas à la pression de nos partenaires qui refusent les exportations de roquefort...

Séquence 3 : Reprise / anticipation

Page 27
Allô ? Tu es où ?
Dialogue témoin :
– Allô ?
– Allô Marc ! C'est Jean-Pierre. Tu es où ?
– Dans le train. Je vais à Paris.
– Moi aussi !

Page 28
Le subjonctif ? Vous connaissez ?
Série 1
a. Il faut que tu fasses un peu le ménage, tes parents vont bientôt arriver...
b. Tu peux m'aider ? Tes parents arrivent dans deux heures !
c. Il faudrait m'aider. Si tu veux, je passe l'aspirateur et toi, tu fais la vaisselle...

PARCOURS 1

Série 2
a. Il faudrait que vous veniez tout de suite ! Il y a une fuite dans la salle de bains !
b. – Qu'est-ce qu'il faut que je fasse ?
– C'est simple ! Vous coupez l'eau. J'arrive le plus vite possible !
c. – Allô ? M. Lefort ? C'est madame Lagoutte. Vous pourriez couper l'eau, au 5e étage ? Il y a une fuite dans ma salle de bains.
– Le concierge M. Lefort est absent pour la journée. Veuillez laisser votre message.

Série 3
a. Je voudrais que vous révisiez ma voiture. Je dois la présenter au contrôle de sécurité d'ici deux jours.
b. Vous pourriez mettre une affiche : À vendre, Citroën AX, année 1983, bon état, bon prix.
c. J'aimerais que vous regardiez ma voiture. Elle fait un drôle de bruit quand je dépasse le 160.

Série 4
a. Est-ce que vous souhaitez que je vous fasse un paquet-cadeau ?
b. Est-ce que vous pourriez me faire un joli paquet ? C'est pour un cadeau.
c. Vous avez beaucoup de goût. C'est un très bel objet. J'espère que cela fera plaisir à votre belle-maman.

Page 28
Exercice : verbes avec ou sans subjonctif
1. Excusez-moi. C'est l'heure, il faut que je parte.
2. Pourquoi est-ce qu'il ne veut pas que tu viennes ?
3. J'espère que tout ira bien.
4. Je ne souhaite pas qu'il aille à Paris.
5. Qu'est-ce qu'il faut que je fasse ?
6. Je crois qu'il n'est pas là.
7. J'aimerais qu'il soit là pour la réunion de demain.
8. Il faut que je te parle.
9. Elle dit qu'il dort.
10. Il souhaite que je prenne quelques jours de repos.

Page 29
Il faut le faire
1. – Qu'est-ce qu'on fait ?
– Il faut que j'aille chercher de l'essence.
2. Il faut qu'il appelle le garagiste.
3. – Alors, monsieur Moreau, où en est notre projet ?
– Il faut que monsieur Lalandes me fasse les plans.
4. Je m'excuse, mais il faut que je vous quitte. Sinon, je vais le rater !
5. – Qu'est-ce que je peux faire ?
– Tu sais nager ?
6. – Trop tard ! On l'a raté !
– Bon ! Il faut qu'on prenne le prochain !

Page 30
Quel temps de chien !
1. Dans l'après-midi, un vent modéré se lèvera et chassera les nuages.
2. Vers midi, le soleil apparaîtra timidement et les températures seront en hausse très nette.
3. Belle fin d'après-midi ensoleillée.
4. En début de matinée, notre région connaîtra des pluies violentes. Elles cesseront en milieu de journée.

Séquence 4 : Documents

Page 33
La bonne information
1. 1a - Victor Hugo est un cinéaste français. Il a tourné de nombreux films dont *Les Misérables*. Il a également travaillé pour les studios de Disney à la réalisation du dessin animé *Notre-Dame de Paris*.
1b - Au cours de l'année 2002, de nombreuses manifestations culturelles et artistiques ont célébré le deux centième anniversaire de la naissance de Victor Hugo.
2. 2a - Catherine Deneuve est une réalisatrice française très connue. Elle est née en 1953, est d'origine italienne et s'appelle en réalité Mastroianni.
2b - L'actrice Catherine Deneuve s'appelle en réalité Catherine Dorléac. Elle a tourné dans beaucoup de films français et étrangers. C'est aussi une adversaire déclarée de la peine de mort.

Page 34
Vive le train !
Dialogue témoin :
Voilà, je suis français. J'ai une carte Inter Rail. Est-ce que je peux voyager gratuitement en France ?
1. Si je vais en Grèce par le bateau, est-ce que je peux utiliser ma carte Inter Rail ?
2. Ça se trouve dans quelle zone le Portugal ?
3. Pour aller d'Angleterre en Italie du Sud, combien ça va me coûter ?

Page 36
Désolé, mais...
Dialogue témoin :
– M. Merlin ? Vous avez lu le curriculum de M. Larose ?
– Oui, ce n'est pas brillant...
– Qu'est-ce que je lui réponds ?
– La formule habituelle, que son curriculum a retenu toute notre attention mais que, malheureusement, etc., etc.
– Bien monsieur...

Page 36
Finalement... après réflexion...
Dialogue témoin :
– Allô ! Merlin !
– Oui M. le directeur !
– Vous avez reçu la candidature de mon neveu, Jean-Jacques Larose ?
– Oui...
– J'espère que vous y apporterez la plus grande attention. C'est un garçon qui a du talent !
– Oui, monsieur.
Dialogue 2 :
– Vous avez déjà envoyé la réponse à la candidature de M. Larose ?
– Oui. Pourquoi ?
– J'ai bien réfléchi, je crois qu'il faut encourager les jeunes, alors...

Pages 38-39
Les sigles, c'est du chinois !
1. – Qu'est-ce que tu fais l'année prochaine ?
– J'hésite. Soit je prépare un DEUG d'espagnol, soit je m'inscris en IUT pour faire un diplôme en deux ans.
– Tu as trouvé un logement ?
– Oui, j'ai eu une chambre par le CROUS . Et toi, qu'est-ce que tu fais ?
– Je cherche du travail. Je suis inscrit à l'ANPE.
2. – Il y a quelque chose de bien quand on habite à l'étranger, c'est la détaxe.
– Ah bon ? Qu'est-ce que c'est ?
– Eh bien, par exemple, j'ai acheté un ordinateur portable à 1800 euros TTC. Je récupère environ 340 euros de TVA.
3. – Tu regardes le journal de TF1 ?
– Non moi, je préfère les nouvelles locales, je regarde FR3.
– Tu sais maintenant, ça s'appelle France 3.
4. – Tu as vu le nouveau logo de la SNCF sur les billets de TGV ?
– Ah oui ! je le trouve très drôle, à l'envers, ça ressemble à un escargot ! Celui de la RATP est plus classique.
5. C'est un appareil qui peut lire les CD audio, les DVD, quand il est branché sur la TV, mais aussi de la musique au format MP3.
6. En 30 ans de carrière politique, il aura presque appartenu à tous les partis politiques. Fils d'un militant du PC, on le retrouve à gauche, au PS, puis au centre, avec l'UDF. Il est maintenant candidat à droite, sur une liste RPR, pour les prochaines élections européennes.
7. Augmentation du SMIC : accord entre la CGT, la CFDT, FO et le MEDEF.
8. Ce soir, sur TF1, après le JT, c'est PPDA qui animera le débat VGE/DSK.

Page 41
Il pleure dans mon cœur *(voir p. 41)*

PARCOURS 2

Séquence 5 : Relativité

Page 43
Il faut que ça dure !
Dialogue témoin :
Allô ! Aurore ? C'est Xavier. Il est plus de midi et ça fait deux heures que je t'attends rue de Paradis. Qu'est-ce qui se passe ? Je ne peux pas attendre plus longtemps, ma voiture est mal garée.

1. – Tu es tout bronzé !
   – Oui, j'ai fermé le salon de coiffure et j'ai pris quinze jours de vacances.
   – Et ça fait longtemps que tu es rentré ?
   – Non, je suis ici depuis trois jours.
2. – Désolée monsieur, mais vous devez payer en euros.
   – C'est nouveau ça ?
   – Non, ça fait trois semaines que c'est comme ça !
3. Météo : un week-end pluvieux en perspective ! La météo nationale signale que la perturbation installée sur la France depuis jeudi va provoquer de fortes pluies sur l'ensemble du pays et qu'il n'y aura pas d'amélioration avant trois ou quatre jours.
4. – Je voudrais *Le Monde*.
   – Voilà, ça fait 1,20 euro.
   – Ah bon, il y a eu une augmentation ?
   – Oui, depuis le 1er janvier.
5. Je suis en direct de Saint-Malo, avec Thierry Lavoile qui vient d'arriver après une course de six mois en solitaire. Il a quitté ce port il y a exactement cent soixante-dix jours. Vos premières impressions, Thierry ?

Page 44
Ça fait longtemps ?

1. La semaine dernière, je suis allé en Bretagne. Il a plu pendant trois jours.
2. Il pleut depuis hier.
3. Ça fait deux jours qu'il pleut.
4. Pluie sur toute la Bretagne à partir de demain.
5. Depuis ce matin, le soleil est revenu.
6. Il fait très beau depuis hier.
7. Ça fait presque une semaine que je suis en vacances.
8. Dans deux jours, je me retrouve au bureau.
9. J'ai pris une semaine de vacances. Ça fait du bien !
10. Ça fait 24 heures que je suis rentré de vacances et j'ai déjà envie de repartir !

Page 45
Les temps changent
Dialogue témoin :
– Depuis que Julien s'est marié, il ne fait plus la fête tous les samedis avec ses copains.

– En un siècle, la France a beaucoup changé. Tout le monde, ou presque, a l'électricité, l'eau courante, le téléphone, la télévision, une salle de bains. On vit jusqu'à 78 ans en moyenne pour les hommes et 82 pour les femmes.

Page 46
Vous faites ça souvent ?
Série 1
– Moi ? Jamais ! J'habite à Dijon et là-bas, il n'y en a pas !
– Ben oui, plusieurs fois par jour ! Bien obligée, je n'ai pas de voiture.
– De temps en temps, mais je préfère me déplacer en bus.
– Rarement ! J'habite en province. Mais je vais à Paris une fois ou deux par an.
Série 2
– Moi, jamais, j'ai 78 ans, alors vous savez, à mon âge, ce n'est plus possible… Mais quand j'étais jeune, j'aimais bien ça.
– Une fois par semaine, le week-end. Le reste de la semaine, je travaille.
– Tous les jours. C'est mon métier ! Je suis entraîneuse d'une équipe de basket.
– De temps en temps, surtout pendant les vacances, du ski, de la voile et de l'équitation.
Série 3
– La plupart du temps, c'est moi. Lui, il s'occupe de la poubelle.
– Jamais ! J'ai une employée, vous comprenez ?
– Chacun son tour. Une fois c'est moi, une fois c'est lui.
– C'est toujours lui qui la fait. J'ai de la chance, non ?
– C'est presque toujours moi. Mais ça ne me dérange pas et puis, j'ai une machine !
– Les enfants, ils font ça une fois par an, le jour de la fête des Mères !
– Jamais ! J'ai résolu le problème. Je mange au restaurant !
– Rarement ! J'ai trouvé la solution : j'utilise des ustensiles en plastique pour le pique-nique. Tout va à la poubelle. C'est vrai, je suis un peu feignante.

Page 47
Il vient de se lever
Dialogue témoin :
– Jacques est prêt ?
– Non, il vient juste de se lever.

1. – Il est où Rémi ?
   – Rémi ? Il était là il y a une minute !
2. C'est une légende qui remonte à la nuit des temps.
3. Ça fait des années que cette maison est inhabitée.
4. – Victor est là ?
   – Oui, il est arrivé il y a quelques instants.
5. – Claudine va bien ?
   – Je ne sais pas. Ça fait une éternité que je ne l'ai pas vue.
6. – Tu es encore à la gare ?
   – Non, dans le train. On vient juste de partir.
7. Moi, je viens d'Australie. Je suis né à Sydney il y a 45 ans.

Séquence 6 : Chronologie

Page 50
Une vie de gastronome
Dialogue témoin :
– Bonjour Sébastien Legras…
– Non pas Legras, Legros.
– Donc Sébastien Legros, vous êtes rédacteur en chef de Cuisine 2000, *une revue gastronomique bien connue qui a fêté son numéro cent en janvier 2001.*

– Oui, en effet.
– Vous avez longtemps travaillé au Canada, je crois…
– Non, au Venezuela. J'étais cuisinier dans une grande chaîne hôtelière.
– Vous êtes resté longtemps, là-bas ?
– Cinq ans, de 82 à 87. Et puis, je suis parti aux États-Unis…
– Toujours comme cuisinier ?
– Oui, mais à bord d'un cargo qui faisait la route San Diego-Vancouver. J'ai fait ça pendant deux ans, puis j'ai arrêté. J'ai le mal de mer.
– Et pourquoi le journalisme ?
– Les voyages et la gastronomie… À un moment, j'ai voulu faire connaître aux Français les trésors de la cuisine exotique. En 93, j'ai publié le premier numéro de la revue *Cuisine 2000*.
– Vous allez publier un livre, je crois ?
– Oui, il s'appellera *Cuisines du monde* et sortira en librairie en septembre.
– Et vous préparez une émission pour la télévision ?
–Oui, j'animerai, à partir du mois d'octobre, une émission mensuelle qui sera consacrée à une cuisine du monde, avec une partie culturelle, musicale et même littéraire.
– Et quel sera le premier pays ?
– Le Mexique, puis en novembre, ce sera le Brésil. Ensuite, il y aura la Grèce, la Thaïlande.
– D'autres projets ?
– Oui, je prépare aussi un numéro spécial de *Cuisine 2000*, « Tour du monde gastronomique à Paris ».
– À Paris ?
– Oui, c'est une ville où vous pouvez déguster presque toutes les cuisines du monde.

PARCOURS 2

Page 51
Avant, pendant ou après ?
Série 1
1. Après être parti, il a souri.
2. Il lui a souri en partant.
3. Il lui a souri avant de partir.

Série 2
1. Il a rencontré Isabelle après avoir passé son bac.
2. Il a rencontré Isabelle avant de passer son bac.
3. Il a rencontré Isabelle en passant son bac.

Page 52
C'est le cirque ! *(Bruitages)*

Pages 54-55
Une histoire compliquée
Récit de Georges, le conducteur :
Je me suis arrêté dans une station service près de Sens ou d'Auxerre, je ne sais plus. J'ai pris de l'essence et puis je suis allé boire un café. Il était environ une heure du matin. Ensuite, j'ai acheté des jus de fruits pour la route. Je suis reparti au bout d'un quart d'heure. En arrivant à Montpellier – oh ! il devait être environ six heures du matin, le soleil était levé depuis peu de temps –, je me suis arrêté sur un parking pour demander à ma femme et à mes enfants s'ils voulaient déjeuner... C'est là que j'ai constaté qu'ils n'étaient plus là !
Récit de Simone, la femme de Georges :
Quand je me suis réveillée vers une heure, nous étions arrêtés à une station-service. Les enfants se sont aussi réveillés et ont voulu aller aux toilettes. Je les ai accompagnés. Ça a pris du temps, il y avait beaucoup de monde dans la station et Loïc avait mal au ventre. J'avais bien dit à Georges qu'il ne fallait pas leur acheter des glaces en partant de Paris. Quand on est ressorti des toilettes, la voiture et la caravane avaient disparu !
Reportage TV
Comme chaque année, des millions de vacanciers se croisent sur les routes et les autoroutes de notre douce France. La confusion et la fatigue qui accompagnent ce week-end de grande migration provoquent quelques incidents heureusement sans gravité et plutôt cocasses comme celui qu'a filmé une équipe de France 3, près d'Auxerre...

Page 55
Exercice : imparfait / plus-que-parfait
1. Excusez-moi, je ne vous avais pas vu.
2. Vous l'aviez déjà vu ?
3. Qu'est-ce qu'il avait, Fred ?
4. Je ne voulais pas vous déranger.
5. Tu avais raison.
6. À midi, j'étais déjà parti.
7. Désolé, mais je ne vous avais pas reconnue.
8. C'est dommage, j'avais terminé le premier.
9. Je t'avais prévenu !
10. Je te l'avais bien dit !
11. Désolé, mais je n'avais pas le temps !
12. Malheureusement, je m'étais trompée.

Page 56
À la une
1. – Paul, t'as vu, ils ont battu l'Australie !
   – Non, c'est pas vrai !
2. – Qu'est-ce que tu fais mardi ?
   – Pourquoi ?
   – On pourrait faire des courses, il va y avoir plein de bonnes affaires.
3. – Allô ! tu as des nouvelles de Charles ?
   – Non, il paraît qu'ils sont bloqués à cause de la neige.
4. Son discours hier aux infos, ce n'était pas génial, il n'a rien dit.
5. Si tu veux divorcer, maintenant, c'est très simple...
6. – On va être augmenté le mois prochain.
   – C'est génial !
7. Vous êtes battu, quelles sont vos réactions ?
8. – On va peut-être devoir retarder notre voyage aux Antilles...
   – Pourquoi ?
   – Tu as vu la météo !
9. Allô ? Lulu ? C'est Riquet. Je suis près de Limoges. C'est la galère ! Il y a des paysans qui bloquent toutes les routes. Je ne serai pas à Bordeaux ce soir. Rappelle-moi sur mon portable quand tu rentres. Grosses bises ma grande !

Séquence 7 : Reprise / anticipation

Page 57
Pour qui, ce sac ?
Série 1
1. Sac en toile imperméable, extrêmement léger, il comporte deux poches sur les côtés et une petite poche sur la bandoulière pour votre téléphone portable. Discret, élégant, pratique, c'est le sac idéal pour le travail et les promenades en ville.
2. Raffiné, classique, ce sac à main d'une marque reconnue internationalement est le complice de votre élégance. Il est en cuir avec l'intérieur soigneusement doublé. Un fermoir en argent lui donne la touche finale d'un luxe discret. Existe en trois coloris : noir, brun, blanc.
3. Fonctionnel, robuste, d'une grande capacité, il comporte trois soufflets très pratiques et deux poches externes. Il s'ouvre et se ferme facilement grâce à ses deux fermoirs en laiton. Il est taillé dans un cuir très résistant et conçu pour de longues années d'enseignement.
4. Bébé sera ravi et confortablement installé dans ce superbe porte-bébé . Ce sac, sûr et bien rembourré, permettra à bébé de vous accompagner dans toutes vos randonnées. Il est formé d'une armature métallique recouverte d'un tissu ventilé. Il a même une poche pour le biberon !

Série 2
1. Je m'appelle Bernard Hue, j'enseigne depuis 15 ans dans un collège de banlieue. C'est parfois difficile mais j'aime beaucoup mon métier. Je suis professeur de technologie, j'ai des élèves de 11 à 15 ans. Je suis quelqu'un de calme, posé, mais attention, il ne faut pas me marcher sur les pieds.
2. Je m'appelle Jean-René, je travaille dans une compagnie d'assurances. Je suis citadin à 100 % : je travaille et je vis en ville. J'aime l'atmosphère de la ville, je m'y promène souvent, je vais au cinéma, je fréquente les cafés et les magasins. J'achète systématiquement tous les nouveaux gadgets.
3. Je m'appelle Angèle Voinet, j'ai une petite fille de 18 mois, elle est adorable. Mon mari et moi, nous aimons beaucoup les grandes balades dans la nature, d'ailleurs nous votons pour les Verts parce que nous avons un enfant et nous nous soucions de son avenir.
4. Je m'appelle Sigismonde Henriette, j'ai horreur de la vulgarité, je ne porte que des vêtements et des accessoires de marque et j'ai un faible pour les objets de luxe. Je suis élégante, raffinée, sophistiquée.

Page 61
Quel drôle de nom !
Dialogue témoin :
– Je voudrais savoir comment faire pour changer de nom ?
– Vous vous appelez comment ?
– Adam Labrosse !
– Vous êtes français ?
– Oui.
– Vous êtes marié ?
– Oui.
– Vous avez des enfants ?
– Oui, j'ai un fils de 14 ans.

1.– Le thème de notre émission d'aujourd'hui est « Changer de nom ». Nous attendons vos appels au 01 36 37 38 39. Nous avons un premier auditeur en ligne.
– Bonjour.
– Oui, bonjour monsieur.
– Je voudrais savoir si je peux changer de nom.

PARCOURS 2

– Pour cela, il faut me donner votre nom…
– Mon nom de famille, c'est Joyeux et mon prénom c'est Noël…

2. Voilà, je m'appelle Gabriel Ramanantsoa, je suis d'origine malgache. J'ai fait une demande de naturalisation française. Est-ce que je peux changer de nom car le mien est très difficile à mémoriser pour un Français ?

page 62
Chic ! Zut ! Bof !

1. – C'est la canicule. En France, aujourd'hui, le climat sera tropical avec des températures comprises entre 28 et 36 degrés sur l'ensemble du pays.
– Chic !
– Dommage !
– Hélas !
– Flûte !
– Youpie !
– Pffff…
2. – Aujourd'hui, pluie sur toute la France. Le soleil reviendra en fin de semaine…
– Heureusement !
– Ouf !
– Zut !
– Enfin !
– Ah non !
3. – Et le champion du monde en titre vient d'atteindre son adversaire d'un formidable crochet du droit !
– Bravo !
– Ouille ! ouille ! ouille !
– Aïe !
– Ouah !
– Encore !

Page 63
À vous de jouer !
Série 1

1. – Quelle est votre couleur préférée ?
– Le bleu, parce que, pour moi, c'est la couleur de la vie. C'est la couleur de notre planète, du ciel, de la mer. C'est une couleur… profonde… comme la mer.
2. – Quelle est votre fleur préférée ?
– C'est la fleur d'hibiscus. C'est une fleur exotique qu'on trouve peu là où j'habite. Alors, forcément, ça me fait rêver à des pays lointains, ensoleillés.
3. – Votre qualité préférée chez une femme…
– Le sens de l'humour, parce que, au moins, on est sûr de ne pas s'ennuyer et de passer des moments agréables.
4. – Ce que vous appréciez le plus chez vos ami(e)s…
– C'est justement le fait qu'ils sont mes amis, c'est-à-dire que j'apprécie avant tout leur présence. J'aime les voir souvent, ce qui est une forme de fidélité.
5. – Quelle est votre principale qualité ?
– La constance. Dans mes choix, dans mes goûts, dans mes amitiés, dans mes haines, aussi. Avec moi, on sait où on va… Mais c'est aussi mon principal défaut, c'est-à-dire que je suis un peu entêté. Mais un peu, seulement…
6. – Quel est votre principal défaut ?
– Je vous l'ai dit …

Série 2

1. – Quelle est votre couleur préférée ?
– Le vert. Parce que c'est la couleur des arbres, de la vie… et pour toutes les nuances de vert qu'il y a dans la nature.
2. – Quelle est votre fleur préférée ?
– La rose, parce que c'est classique. C'est la plus belle des fleurs. On n'est jamais déçu par une rose… Et puis, quel parfum !
3. – Votre qualité préférée chez un homme…
– La simplicité, être direct. Je déteste la frime. Être sophistiqué, c'est souvent être superficiel, c'est-à-dire s'attacher aux détails plutôt qu'aux choses importantes.
4. – Ce que vous appréciez le plus chez vos ami(e)s…
– Leur côté chaleureux, la convivialité, leur gaieté. Je n'aime pas les gens tristes : mes amis doivent être gais pour être mes amis.
5. – Quelle est votre principale qualité ?
– La patience, parce que c'est être attentive aux autres ; parce que ça me permet de dépasser les difficultés du moment pour garder l'essentiel.
6. – Quel est votre principal défaut ?
– La paresse. Et c'est plus qu'un défaut, c'est un péché capital ! J'ai un côté marmotte. J'aime dormir, lézarder.

Séquence 8 : Futurs

Page 65
Mais que va-t-il se passer ?
Dialogue témoin :
Nous sommes bien d'accord ? Le manuscrit sera remis fin novembre. En décembre, nous choisirons les illustrations. Les premières corrections seront réalisées fin janvier et l'ouvrage sortira en librairie le 1er avril.

1. D'après les calculs de l'INSEE, l'économie française connaîtra une croissance de 2,5 % au cours de l'année à venir.
2. Votre vol arrivera à 21 h 30. Notre représentant pour l'Afrique australe vous accueillera à l'aéroport et s'occupera de vous pendant tout votre séjour. Une réunion de travail aura lieu le lundi matin au siège de notre société.
3. – Alors ? Toujours d'accord pour un pique-nique dimanche dans la forêt de Fontainebleau ?
– Oui. J'ai écouté la météo. Dimanche, il fait beau !

Page 66
Un homme très actif !

1. Demain, je vais à Madrid. J'ai une réunion avec la directrice de notre filiale espagnole. Mais je ferai l'aller-retour dans la journée !
2. Ce week-end, j'étais à Dauville mais le week-end précédent, je l'ai passé à la campagne, dans une ferme-auberge.
3. – Demain matin, je ne serai pas là avant 10 heures. Je dois être chez moi pour le début des travaux.
– Ah bon, vous faites des travaux ?
– Oui, la peinture et la tapisserie.
4. Dites-lui que je suis obligé de rester un jour de plus à Madrid, pour régler deux ou trois problèmes et que je la verrai après-demain. Si elle est d'accord, on pourrait déjeuner à l'Acropole. Je sais qu'elle aime bien la cuisine grecque.
5. – Vous ne prenez pas de vacances pour Pâques ?
– Si, dans trois jours je pars pour Courchevel, faire un peu de ski. Ça va me faire du bien, l'air de la montagne !
6. – Alors, ces travaux chez vous ?
– Ça a été très rapide. Ils ont tout fait en trois jours. Hier soir, tout était terminé. Je suis content. Ils ont fait du bon travail !

Page 68
Affiches
Dialogue témoin :
– Allô ? Secrétariat du lycée Corneille, je vous écoute.
– Bonjour, c'est monsieur Kanter, le professeur de philo. Je suis « enrhubé ». Je ne pourrai pas assurer mes cours de cet après-midi. Vous pourriez prévenir mes élèves de terminale ?

1. – Mademoiselle Lavigne ? Vous pourriez faire une affiche pour tout le personnel ? Un spécialiste de la médecine du travail sera là toute la journée du mercredi 12 avril. Il fait une enquête sur les problèmes de santé provoqués par l'informatique. Il désire avoir un entretien très court (dix minutes maximum) avec chaque membre du personnel. Il sera dans le bureau 312 de 8 h du matin à 19 h.
– Je vais faire ça tout de suite.

PARCOURS 2

2. – Julien ? Vous pouvez faire une affiche pour indiquer à nos clients que tous les magasins Maximo seront ouverts de 9 h à 19 h le samedi 24 décembre et le samedi 31 décembre mais que nous serons fermés le 26 décembre et le 2 janvier ?
– Pas de problème.

Page 68
Exercice : les valeurs du futur

1. Ne vous inquiétez pas ! Ce sera terminé avant 18 heures ! Je n'ai qu'une parole !
2. D'après une étude de l'OCDE, le taux de croissance économique européen ne dépassera pas 1,2 % pour l'année à venir.
3. Non, non, on ira dans mon bureau. Ce sera plus tranquille !
4. Qu'est-ce que vous ferez après votre doctorat ?
5. Faites-moi confiance, ce ne sera pas long !
6. D'après les statistiques, la France comptera 70 millions d'habitants en 2025.
7. Tu feras attention sur la route, il y a du verglas !
8. Bon, ça suffit pour aujourd'hui. On terminera ça demain.
9. D'accord, c'est promis, demain, j'irai chez le médecin.
10. Pas de problème, je serai à l'heure !

Page 69
Chaque chose en son temps
Dialogue témoin :
Tu regarderas la télé quand tu auras fini tes devoirs !

1. Quand tu auras fini de manger, tu pourras faire la vaisselle ?
2. Vous partirez d'ici vers 19 heures, mais avant il faudra terminer votre travail.
3. Quand vous aurez terminé le ménage, vous préparerez le repas !
4. Quand vous aurez changé la roue, vous pourrez vérifier l'huile ?
5. – Qu'est-ce que tu vas faire quand tu auras terminé ton roman ?
– Je crois que je vais prendre quelques jours de vacances...

Page 69
Exercice : futur / futur antérieur

1. Je crois que je n'aurai pas le temps.
2. Je n'aurai pas fini avant midi.
3. Quand vous l'aurez retrouvé, prévenez-moi !
4. J'aurai terminé vers 5 heures.
5. Quand est-ce que vous aurez terminé ?
6. À cette heure-là, je serai déjà partie.
7. Quand est-ce que vous pourrez le rencontrer ?
8. Je serai là vers 15 heures, 15 heures 30...
9. Non, pas maintenant, quand vous aurez fini de manger.
10. Nous serons tous là...

Page 70
Culture(s)
Sacré Charlemagne
Qui a eu cette idée folle
Un jour d'inventer l'école
C'est ce sacré Charlemagne
Sacré Charlemagne
Paris mai
Mai mai mai Paris mai
Mai mai mai Paris
Faut rigoler
Nos ancêtres les Gaulois
Cheveux blonds et têtes de bois
Longues moustaches et gros dadas
Ne connaissaient que ce refrain-là
Faut rigoler
Faut rigoler
Avant qu'le ciel nous tomb'sur la tête

PARCOURS 3

Séquence 9 : Causes et effets

Page 75
Faits et causes

1. – C'est fermé ?
   – Oui, le fils de madame André se marie.
   – Avec qui ?
   – Avec la fille de madame Dupuis, la fleuriste de la rue Racine.
   – Avec la fille Dupuis ? Ah bon ?
2. – Vous ne pouvez pas passer ! C'est interdit !
   – Mais qu'est-ce qui se passe ?
   – Ils tournent un film sur l'avenue !
3. – Tiens ! La quincaillerie est fermée ?
   – Non. Ils font des travaux. Pour entrer, c'est de l'autre côté.
   – Ah! Pardon, je n'avais pas vu la pancarte. Merci.

Page 76
Tout s'explique !

1. – Est-ce que quelqu'un sait pourquoi, quand on sert le thé dans un pays arabe, on le verse de très haut dans la tasse ?
   – Je ne sais pas, moi. Je pense que c'est pour le refroidir...
   – Moi je sais ! C'est parce que c'est plus joli comme ça !
   – Moi, j'ai lu que c'était pour le rendre plus digeste.
   – C'est peut-être pour que ça fasse de la mousse, comme dans le capuccino...
   – Ils font ça pour amuser les touristes !
   – Je ne sais pas mais j'ai essayé. Ça a été la catastrophe ! J'ai tout versé à côté de la tasse !
2. – Il n'y a pas d'explications. C'est le hasard...
   – Je crois que c'est parce qu'Azerty, c'est le nom de l'inventeur de la machine à écrire.
   – C'est parce qu'il y a toujours une lettre fréquente à côté d'une lettre moins fréquente.
   – C'est pour ne pas faire comme les Américains !

Page 77
Avis à la population !
Dialogue témoin :
– Tu feras attention demain ! Le stationnement est interdit entre la rue de la Paix et la rue Saint-Amour.
– Ah bon et pourquoi ?
– C'est le 14 juillet. Le défilé militaire passe par là !

1. – Dépêche-toi ! On va rater le train !
   – Mais non, on a largement le temps !
   – Il est midi deux et il part à midi quatre !
   – Mais non ! Je te dis qu'on a le temps ! Tu n'as pas vu les panneaux? Il y a grève ! Le train Lyon-Paris de 12 h 04 est supprimé.
2. – Non, fais demi-tour. Tu ne peux pas passer par là !
   – Pourquoi ?
   – Il y a des inondations.
   – Comment tu le sais ?
   – Je lis les panneaux !
   – Ah bon ! Il y avait un panneau ?

Page 78
Exercice : cause / conséquence, différentes formulations

1. Je suis désolé mais il y avait des embouteillages.
2. Ce n'est pas une raison pour me réveiller à cinq heures du matin !
3. À cause de vous, je vais rater mon train.
4. C'est grâce à l'anticyclone des Açores qui protège l'Europe des intempéries que nous bénéficions depuis une semaine de ce temps magnifique.
5. Ce n'est pas parce qu'il n'y a pas de soleil qu'il faut rester à la maison.

Page 79
Réponse à tout

1. Voilà je voudrais savoir pourquoi, sur certains mots, comme *fenêtre* ou *mûr*, il faut mettre un accent circonflexe...
2. Est-ce que vous pourriez m'expliquer pourquoi il y a des mots qui commencent par un « h » muet et d'autres par un « h » aspiré ?

Séquence 10 : Avec des si...

page 81
De deux choses l'une...
Dialogue témoin :
S'il fait beau demain, nous irons faire une petite balade en forêt.

1. Si tu réussis ton bac, je t'achète une moto.
2. Moi, si je gagne au loto, j'arrête de travailler et je pars dans une île au soleil.
3. – Merci de me prêter ta voiture. C'est vraiment très sympa.
   – Tu feras attention au frein à main. Si tu ne le serres pas très fort, il ne fonctionne pas.
4. – Tiens, ce soir je t'invite au restaurant.
   – Je ne peux pas, j'ai un rapport à terminer pour demain.
   – Si tu as terminé avant ce soir, passe-moi un coup de fil et je passe te prendre.
5. Je vous préviens ! Si vous ne baissez pas la musique, j'appelle la police.

Page 82
Le répondeur vocal
Dialogue témoin :
– Bienvenue sur le répondeur vocal de « La Femme moderne ». Si vous désirez obtenir un opérateur, tapez « étoile ». Si vous désirez effectuer une commande, tapez « 1 ». Si vous ne désirez rien, raccrochez.
– Allô ? Bonjour !
– Bonjour ! Voilà, je voudrais savoir si la robe de la page 106 existe en taille 42.

1. – Bienvenue sur la boîte vocale d'Airtour. S'il s'agit d'une réservation, tapez « 1 », puis sur la touche « dièse ». S'il s'agit d'un renseignement, tapez « 2 », puis sur la touche « étoile ».
   – Bonjour...
   – Bonjour. J'ai une réservation pour un vol Paris-Miami, le 13 mai avec retour le 22. Je voudrais savoir si je peux changer ma date de départ et si oui, combien ça me coûterait.
   – Ah ! Dans ce cas, il faut vous adresser au service des réservations.
   – D'accord. Je vous remercie.
   – À votre service madame.
2. – Vous êtes sur le serveur vocal de BanqueNet, votre banque en ligne. Si vous avez déjà un compte à BanqueNet, tapez votre code d'accès à cinq chiffres suivi de la touche « étoile ». Si vous n'êtes pas client, tapez « 1 », suivi de la touche « dièse ».
   – Si vous désirez consulter votre compte, tapez « zéro ». Si vous désirez effectuer un virement, tapez « 1 ».
   – Votre compte est débiteur de : 6 356 euros et 26 centimes. BanqueNet vous remercie de votre appel et vous souhaite une bonne journée...

Page 83
Hypothèses
Dialogue témoin :
– Est-ce que les enfants peuvent entrer ?
– Oui, s'ils sont accompagnés.

1. – Allez, on va se baigner...
   – Tu crois qu'on peut? Demande au maître nageur !
   – S'il vous plaît monsieur, est-ce qu'on peut se baigner ?
2. – Où est-ce que je dois présenter mon passeport ?
   – Vous êtes de quelle nationalité ?
   – Je suis espagnol.
3. Qu'est-ce que je fais s'il n'y a personne ?

Page 85
Naturalisation
Dialogue témoin :
– Le thème de notre émission d'aujour-

PARCOURS 3

d'hui sera « Devenir français ». Est-ce facile, difficile ? Quelles sont les conditions pour obtenir sa naturalisation ? Nous essayerons de répondre à ces questions. Nous attendons vos appels au : 01 01 01 33 33.

1. Voilà. Moi, je suis belge. J'habite en France depuis deux ans. Est-ce que je peux obtenir la nationalité française ?
2. J'ai dix-sept ans, je suis ivoirien. Je parle parfaitement le français. J'aimerais aller en France et obtenir la nationalité française.
3. Je suis mexicain, mais je me suis marié avec une Française. Ma femme et moi, nous allons nous installer en France. Est-ce que je pourrai obtenir rapidement la nationalité française ?
4. J'ai 22 ans, je suis étudiante. Je suis espagnole. Je viens de passer deux ans à l'université de Paris III et je voudrais vivre en France.
5. Il est marocain, il a 24 ans, il a été deux fois champion du monde de marathon. Il voudrait s'installer en France et y poursuivre sa carrière sportive.

Page 86
Que faire en cas de... ?
Dialogue témoin :
– À quoi il sert ce bouton rouge ? Je vais appuyer pour voir.
– Ne faites pas ça ! Trop tard !

1. – Donc, sur l'affiche j'indique que le pique-nique aura lieu au stade municipal de Champigny ?
   – Oui...
   – Et où est-ce que le repas aura lieu, s'il pleut ?
   – À la salle des fêtes.
   – Et elle est où cette salle ?
   – Au rez-de-chaussée de la mairie.
2. – Elle sert à quoi cette poignée !
   – Ne touche pas ça. C'est le signal d'alarme !
   – Ils pourraient mettre un écriteau !
3. – Pourquoi est-ce que la lumière rouge clignote ?
   – Parce que la batterie de votre ordinateur portable est presque entièrement déchargée.
   – Qu'est-ce que je fais ?
   – Vous sauvegardez votre travail. Vous éteignez votre ordinateur. Si vous avez une deuxième batterie, vous changez de batterie. Vous pouvez également vous brancher sur une prise électrique grâce au bloc d'alimentation. Tout est expliqué dans ce petit mode d'emploi.

Séquence 11 : Reprise / anticipation

Page 87
Qui a fait quoi ?
Dialogue témoin :
–Georges Laplume, journaliste au Courrier du Nord *a longuement été interrogé par la police.*
– Le correspondant du Courrier du Nord, *Georges Laplume, a interrogé les policiers.*

1. – Un homme a arrêté la police.
   – La police a arrêté un homme.
   – La police a été arrêtée par un homme.
   – Un homme a été arrêté par la police.
2. – Les étudiantes japonaises ont accueilli le président de l'université.
   – Le président de l'université a été accueilli par un groupe d'étudiantes japonaises.
   – Le président de l'université a accueilli un groupe d'étudiantes japonaises.
   – Un groupe d'étudiantes japonaises a été accueilli par le président de l'université.
3. – Le président a été applaudi par la foule.
   – Le président a applaudi la foule.
   – La foule a été applaudie par le président.
   – La foule a applaudi le président.

Page 88
Une nuit agitée
Dialogue témoin :
Tu as l'air fatigué. Tu as mal dormi cette nuit ?

Page 89
Ça va changer !
Dialogue témoin :
Je suis fière de poser la première pierre de ce parc de loisirs. Dans deux ans, à la fin des travaux, ce parc recevra des milliers de visiteurs. Grâce à ce parc, plusieurs centaines d'emplois seront créées dans la région...

1. Excuse-moi, mais en ce moment, je n'ai pas un instant de libre. Mais dans 15 jours....
2. Le chômage augmente, le niveau de vie des Français régresse, l'insécurité est de plus en plus préoccupante dans les grandes villes... Votez pour moi et...
3. C'est vrai, je suis toujours en retard. Mais ça va changer ! Je vais vous faire une promesse.
4. – Monsieur le Premier ministre, je vous pose la question que se posent tous les Français : serez-vous candidat pour les élections présidentielles ?
   – J'ai beaucoup réfléchi et j'ai pris ma décision : ...
5. C'est vrai, je n'ai pas eu beaucoup de temps pour m'occuper des enfants, mais le projet est terminé, les contrats sont signés, alors...

Page 89
Exercice : les formes du futur

1. – Tu as fait les courses ?
   – Non, je n'ai pas eu le temps, je les ferai demain.
2. – Je vais à Paris demain.
   – Tu pars à quelle heure ?
   – Oh, je prendrai le train de 18 h 22, je serai à Paris à 9 h.
3. – Tu as vu Julie ? Elle a des problèmes.
   – Oui, je sais, je lui parlerai ce soir.
4. Si tu vas au ski, tu prendras des vêtements chauds.
5. Quand tu arriveras à la gare de Lyon, tu verras, il y a un marchand de journaux à droite, je serai là, je t'attendrai.
6. – Je vais aller chez Annie.
   – Je ne peux pas t'accompagner, si je t'explique, tu sauras y aller ?
7. Tu pourras m'emmener à la gare demain ?
8. Marie aura 20 ans mercredi.
9. Je suis fatigué, on ira au ciné demain.
10. Nous partirons samedi au Maroc.

Page 92
Mais de quoi ils parlent ?

1. – C'est délicieux !
   – Ça te plaît ? Alors reprends-en !
2. – Oh qu'ils sont mignons !
   – Si vous les voulez, je vous les donne !
3. – Et qu'est-ce que j'en fais ?
   – Vous les lui ferez signer à son arrivée.
4. – Vous en achetez combien ?
   – Deux boîtes.
   – Je vous fais un paquet-cadeau ?
   – Oui, c'est pour offrir.
5. – Vous le lui ferez lire ?
   – Oui, monsieur.
   – Je veux être sûr qu'il est d'accord.
6. – Désolé, je n'en ai plus !
   – Où est-ce que je peux en trouver ?
   – Au bureau de tabac de la rue de l'Hôpital. Il est ouvert jusqu'à minuit.
7. – Vous leur en donnerez une cuillère à soupe deux fois par jour avant les repas. Et s'ils continuent à tousser, revenez me voir.
   – Oui, docteur.
8. – Je vais en prendre une douzaine.
   – Des rouges ou des blanches ?
   – Des blanches, c'est pour ma maman.

PARCOURS 3

Séquence 12 : Hypothèses

Page 93
Si l'on chantait...

1. « Même si tu revenais, je crois bien que rien n'y ferait, notre amour est mort à jamais. Je souffrirais trop si... »
   « tu revenais »
2. « Ah si j'avais un franc cinquante... »
   « j'aurais bientôt deux francs cinquante »
3. « Si on chantait, si on chantait, si on chantait... »
   « la la la la »
4. « Si j'avais les ailes d'un ange... »
   « je partirais pour Québec »
5. « Si tu vas à Rio... »
   « n'oublie pas de monter là-haut »
6. « Si j'étais président de la République »
   « J'écrirais mes discours en vers et en musique »

Page 94
Courrier électronique
Dialogue témoin :
Bon, c'est d'accord, mais si vous n'étiez pas le fils du patron, vous seriez déjà depuis longtemps au chômage. Mais c'est la dernière fois.

1. Merci d'avoir pensé à moi ! Si tu ne m'avais pas envoyé un mail pour me prévenir, je n'aurais pas posé ma candidature et je serais toujours au chômage.
2. Merci de m'avoir prévenu, sinon, maintenant, je serais peut-être au chômage. Je suis vite allé voir le patron, je lui ai présenté un super projet.
3. Je te remercie de m'avoir conseillé ce bouquin. Si je ne l'avais pas eu, je n'aurais jamais réussi mon entretien d'embauche chez Murex.
4. Allô Joël ? Super ton agence de voyages : si tu ne me l'avais pas indiquée, je n'aurais pas pu me payer mes vacances au Ghana...

Page 95
Si j'avais su...

1. – Je ne savais pas que c'était son anniversaire. Si tu m'avais prévenu, je lui aurais apporté des fleurs !
   – Si tu ne m'avais pas prévenu, j'aurais certainement oublié de lui souhaiter son anniversaire.
   – Si tu m'avais dit qu'elle était allergique aux fleurs, je lui aurais offert des chocolats.
   – Si j'avais su qu'elle était fleuriste, j'aurais apporté autre chose.
2. – Si tu avais fait le plein d'essence en partant, on ne serait pas en train de faire du stop sur une route déserte.
   – Si tu m'avais laissé conduire, on serait déjà à la mairie !
   – Si je ne t'avais pas fait remarquer qu'il n'y avait plus d'essence dans la voiture, on ne serait pas marié en ce moment !
3. – Si tu m'avais dit qu'il n'y avait plus rien dans le frigo, j'aurais fait les courses !
   – Si tu avais fait les courses, il y aurait quelque chose dans le frigo !
   – Si on n'avait pas acheté de frigo, ce serait la catastrophe avec cette chaleur.

Page 95
Exercice : l'hypothèse

1. Si vous êtes prêts, on peut commencer.
2. Je vous recevrais volontiers si j'avais le temps.
3. Si tu vois Pierre quand tu iras à Paris, salue-le de ma part !
4. S'il faisait beau ce week-end, ça te plairait une petite balade à vélo ?
5. Si vous me l'aviez demandé, je serais venue tout de suite !
6. Si vous pouviez m'aider à déménager, ça serait formidable !
7. Si vous avez fini, vous pouvez partir !
8. Si tu m'avais laissé faire, j'aurais réglé le problème en cinq minutes.

Page 96
Exercice : le conditionnel passé

1. Si tu ne m'avais pas aidé, je n'aurais jamais terminé ça à temps !
2. Tu aurais pu m'appeler ou me laisser un message sur mon portable. Je t'ai attendu pendant plus de deux heures et à cause de ça j'ai manqué mon train !
3. Je ne sais pas comment j'aurais fait si tu n'avais pas été là.
4. Si vous aviez suivi mes conseils, il y a longtemps que vous auriez un travail !
5. Tu as eu de la chance ! Tu aurais pu te blesser !
6. Ah ! si j'avais joué le 19 au lieu du 23, j'aurais gagné au loto !
7. Si j'avais su que tu t'étais couché si tard, je ne t'aurais pas appelé à 8 heures du matin.
8. Jacques aurait pu nous aider, s'il avait voulu.
9. Moi, je n'aurais pas expliqué ça comme ça.
10. J'aurais pu lui téléphoner, mais j'ai préféré passer le voir.

PARCOURS 4

Séquence 13 : Sentiments

Page 103
Question de sentiments

1. La surprise
   a. Brigitte et Joël ont divorcé. Ça ne m'étonne pas !
   b. Brigitte et Joël ont divorcé, c'est triste pour les enfants.
   c. Je n'aurais jamais imaginé que Brigitte et Joël divorcent !
2. L'énervement
   a. Ça fait deux fois que je démonte ce truc et ça ne marche toujours pas !
   b. Moi, bricoler, ça me détend.
   c. Pas de problème, je suis zen !
3. La colère
   a. Ah non ! ils ont encore enlevé ma voiture ! J'en ai assez. C'est la troisième fois cette semaine !
   b. Tu sais hier, on a enlevé ma voiture, elle était mal garée.
   c. Ma voiture n'est plus là, mais je suis sûr de l'avoir garée en face du marché !
4. La curiosité
   a. Quand on me dit de ne pas toucher, je ne touche pas.
   b. Mais à quoi ça peut bien servir ?
   c. Surtout, ne prenons pas de risques !
5. L'admiration
   a. Je ne comprends pas pourquoi il a du succès.
   b. Il chante bien, mais c'est toujours la même mélodie.
   c. C'est mon chanteur préféré. Je fais partie de son fan-club ! Et en plus qu'est-ce qu'il est beau !
6. L'inquiétude
   a. Véronique n'est pas encore rentrée, c'est pas normal.
   b. Véronique n'est pas encore rentrée, elle m'a dit qu'elle allait au cours d'espagnol ce soir.
   c. Véronique n'est pas encore rentrée, mais ça ne devrait pas tarder.
7. La confiance
   a. Avec lui, on se sent en sécurité.
   b. Oh ! là, là ! Quelle angoisse !
   c. Mais il est complètement fou !

Pages 104-105
Ça vous fait peur ou ça vous plaît ?

1. – Qu'est ce qui vous fait peur dans la vie ?
   – Moi, c'est la destruction de la planète. Vous savez qu'un tiers des espèces animales actuellement présentes sur la planète aura disparu dans vingt ans et qu'en dix ans, la température moyenne de la planète a fortement augmenté.
2. Moi j'ai peur de la solitude. Ne plus avoir d'amis, c'est ce qui me fait le plus peur. J'ai besoin de convivialité, de solidarité... Heureusement, j'ai beaucoup d'amis, donc, pour l'instant, ce n'est pas mon problème.
3. – J'ai horreur de voyager en avion. Chaque fois que je prends l'avion, je suis morte de peur.
   – Et vous prenez souvent l'avion ?
   – Oui, je suis hôtesse de l'air !
4. Devenir pauvre, ne plus avoir de quoi manger, s'habiller, se loger. C'est cela qui m'angoisse. Qu'est-ce que j'ai comme voiture ? Une Ferrari. Pourquoi ?
5. Moi c'est l'insécurité. Je n'ose plus sortir la nuit.
6. Moi, j'ai la phobie des araignées. C'est bête, mais c'est comme ça !
7. – Qu'est-ce qu'il y a de plus beau, qu'est-ce qui vous fait le plus plaisir dans la vie ?
   – Moi, c'est l'odeur de la terre, à la campagne, un jour de juillet, quand arrivent les premières grosses gouttes de pluie qui annoncent l'orage. Je sais, je suis très romantique.
8. J'aime bien être en famille, je suis issu d'une famille nombreuse et j'aime bien quand nous nous retrouvons tous ensemble, pour une fête, un anniversaire ou alors un mariage.
9. Sortir avec mes copains. Aller danser, s'amuser, quoi !
10. Le vrai bonheur, c'est gagner. Je suis skieuse. Monter sur le podium, parce qu'on a été la meilleure, c'est quelque chose de fantastique, d'inoubliable !
11. J'adore dormir, faire la grasse matinée. C'est un des moments les plus agréables que je connaisse. Ah ! Quel bonheur de ne pas se réveiller en sursaut parce que le réveil a sonné, mais tout simplement parce qu'on n'a plus sommeil...
12. Partir en mer, sur mon voilier. Je suis d'accord avec la chanson de Renaud : « C'est pas l'homme qui prend la mer, c'est la mer qui prend l'homme ». C'est dommage que je n'aie pas de voilier et que je n'habite pas au bord de la mer. Mais on a le droit de rêver, pas vrai ? Un jour, je le ferai.
13. « Rien n'est plus beau que les mains d'une femme dans la farine », comme dans la chanson de Claude Nougaro. D'accord, c'est un peu macho, mais ça me convient tout à fait. Je suis boulangère et ce que j'aime par-dessus tout, c'est mon métier.

Page 106
Réactions en tout genre
Dialogue témoin :
C'est scandaleux ! Scandaleux ! Je vais me plaindre à la direction ! Appelez-moi le chef !

1. – Tu sais que Françoise est reçue à son concours ?
   – C'est vrai ? c'est gé-nial ! Je suis vraiment très heureuse pour elle.
2. – Gérard a dit que c'est toi qui l'emmènes à Lyon la semaine prochaine...
   – Ah non ! Il n'en est pas question ! Tu m'entends, il n'en est pas question !
   – Ne te fâche pas comme ça !
3. – Tante Claudine est arrivée à la gare. Elle vient de m'appeler...
   – On va la chercher ! Vite ! Vite !
4. – Tu sais que Jean-Louis est à l'hôpital ?
   – Oui, je sais. Le pauvre ! C'est la deuxième fois en six mois.
5. – Patrick se marie...
   – Non ! C'est pas vrai ! Je ne te crois pas !
   – Si, si ! je t'assure : Patrick se marie.
6. – La sortie de demain est annulée : la météo est mauvaise.
   – Oh non ! J'étais tellement contente d'aller faire une balade en mer...
7. – Alors, c'était bien cette croisière en Méditerranée ?
   – Ne m'en parle pas. Si j'avais su, je serais resté chez moi... C'est la dernière fois que je monte sur un bateau !
8. – Et le match se termine sur la victoire incontestable du XV de France.
   – On a ga-gné ! On a ga-gné ! On a gagné !
9. – Tu sais, peut-être que l'année prochaine tu pourras partir en vacances aux États-Unis ?
   – Tu crois ? Tu penses que ça sera possible ?
10. – Alors, ces examens, c'est terminé ?
    – Oui, ça y est enfin. Ouf ! bon débarras !

Page 107
Il y a un défaut

1. À Noël, on va lui offrir une montre !
2. Il a une mémoire d'éléphant !
3. Il est toujours là quand on a besoin de lui.
4. Il est toujours pressé.
5. Il n'a pas inventé l'eau chaude !
6. Il ne pense qu'à lui !
7. Il plane complètement !
8. Quand on lui parle, on a l'impression de parler à un mur.
9. Son seul désir, c'est d'être toujours le numéro 1.
10. Son surnom, c'est Einstein !

PARCOURS 4

Page 110
Critique de film

1. C'est un film très drôle. J'ai beaucoup ri.
2. Les acteurs sont fantastiques.
3. Moi, ce que j'ai aimé, c'est les décors. C'est très réussi.
4. Les dialogues sont fins, percutants, très amusants.
5. Enfin un film sans effets spéciaux.
6. Le début est très réussi, la fin m'a semblé un peu longue.
7. Le scénario est bien construit.
8. La musique du film, je ne la trouve pas terrible.

Séquence 14 : Arguments

Page 111
Très gentil
Dialogue témoin :
– Laura, tu viens chez les Renaud dimanche ? Ils m'ont demandé de t'inviter. Ils font un barbecue.

– Non, Julien, je suis désolée mais je ne peux pas, je suis toute seule avec les enfants. Et puis, c'est à 200 km et ma voiture est en panne. En plus, il y a ma cousine, celle de Toulouse, qui va être à Paris pour le week-end.
– C'est pas grave, il y aura d'autres enfants, et puis tu peux emmener ta cousine.
– Mais puisque je te dis que ma voiture est en panne.
– Je peux vous emmener, je viens d'acheter un minibus. Je peux transporter huit personnes.
– Bon, d'accord, mais je ne voudrais pas rentrer trop tard dimanche soir, ma cousine doit prendre son train à 19 h 30 pour rentrer à Toulouse.
– Pas de problème. Si tu veux, on arrive à Paris vers sept heures, on dépose ta cousine à la gare et je te ramène chez toi avec les enfants.
– C'est très gentil de ta part. Ah ! Au fait ! Tu ne pourrais pas me prêter 500 euros ? Je n'ai pas un sou en ce moment...

Page 113
Bon gré, mal gré
– Le voilier d'Olivier Le Foch n'avance pas très vite. Pourtant le vent est plutôt fort. Que se passe-t-il ? S'agit-il d'un problème technique ? Ce serait dommage car le record de la traversée de l'Atlantique est à la portée d'Olivier.
– Le voilier d'Olivier Le Foch n'avance pas très vite. En effet, il règne un calme plat sur cette zone de l'Atlantique. Si ce manque de vent persiste encore quelques jours, Olivier Le Foch ne battra pas le record de la traversée de l'Atlantique détenu par Olivier de Kersauzon.
– Certains ont fêté la nouvelle année d'une façon originale. Ainsi, hier à minuit, sur la plage de La Baule, malgré une température de –12 degrés centigrades, quelques dizaines de nageurs courageux se sont baignés, comme le veut la tradition, dans les eaux glaciales de l'Océan.
– Hier, pour la première fois depuis dix ans, le traditionnel bain de minuit du 1er janvier n'a pas eu lieu à La Baule en raison de la violente tempête que subit actuellement l'ouest de la France.

Page 115
Des arguments pour convaincre
Dialogue témoin :
– Moi, je vous conseillerais de prendre la X467.
– Pourquoi ? Elle me semble un peu chère.

1. – Avec Marc, on va aller au cinéma demain soir, tu as envie de venir avec nous ? Il y a un très beau film chinois.
   – Je ne sais pas, j'ai encore beaucoup de travail cette semaine.
   – Allez, c'est un film exceptionnel, il ne passe qu'une fois.
   – Oui, mais après, je vais être obligée de travailler samedi...
   – Tu travailleras mieux si tu te détends un peu, et puis après le ciné, on ira au restaurant et on t'invite.
   – Bon. Alors d'accord.
2. – Moi, je vous conseillerais de prendre la X467.
   – Pourquoi ? elle me semble un peu chère.
   – Vous verrez elle est vraiment confortable, le rapport qualité-prix est excellent.
   – Mais tout de même, je trouve la Peugeot 206 pas mal et surtout moins chère.
   – La X467 est beaucoup plus économique, elle ne consomme que 4,5 litres aux 100 kilomètres. À la longue, vous dépenserez moins.
   – Je n'arrive pas à me décider...
   – Bon, éventuellement je peux vous faire une remise.
   – Dans ces conditions, je crois que je vais suivre votre conseil.
3. – Si on partait quelques jours à Pâques ?
   – Mais je n'aurai qu'une semaine de vacances.
   – C'est pas grave, on peut partir pas trop loin.
   – C'est pas forcément une bonne idée, en plus, on n'a pas d'argent en ce moment.
   – Écoute, j'ai vu une publicité pour un voyage en Grèce à 400 euros.
   – C'est quand même beaucoup.
   – Tu sais, ça nous ferait du bien de voir un peu le soleil et puis je vais avoir une augmentation à la fin du mois.

Page 118
Le courrier des auditeurs
Dialogue témoin :
– Vous avez été très nombreux à la suite de notre émission « Planète en péril » à nous écrire, par courrier ou par e-mail. Un de nos auditeurs, Claude Robin, pense que c'est en développant les transports en commun (bus, ferroutage) ou en facilitant les moyens de transport individuels non-polluants comme le vélo, qu'on parviendra à éviter l'inéluctable, c'est-à-dire le réchauffement de la planète et la disparition de la couche d'ozone !

1. C'est un auditeur, M. Lemaire, habitant dans la banlieue parisienne, enseignant et père de deux enfants, qui nous écrit et qui précise que pour lui le respect de l'environnement, ça s'apprend. Il précise que lui-même est très attentif aux comportements de ses enfants et qu'il essaie de les habituer à respecter l'environnement en économisant l'eau, la lumière par exemple. Cet auditeur pense que le respect de l'environnement devrait être enseigné à l'école comme une matière, comme on le fait pour les mathématiques, la grammaire et l'histoire de France.
2. Une autre auditrice, Mme Lalande, de Nancy, suggère que l'on applique une écotaxe sur les produits dont les emballages ne sont pas recyclables. Fidèle à ses opinions, elle nous a écrit sa lettre sur du papier recyclé.
3. Pour M. Lavoine c'est l'État qui doit donner l'exemple, les ministres devraient rouler à vélo plutôt que dans de grosses voitures officielles, utiliser les transports publics pour leurs déplacements plutôt que des jets privés ou des hélicoptères. M. Lavoine, qui est chauffeur routier propose que la route soit réservée aux professionnels. Il est persuadé qu'on pourrait mettre en place l'« autoroutage ». D'immenses camions pourraient transporter d'un point à l'autre de l'autoroute vingt à trente voitures par voyage, ce qui représenterait une énorme économie de carburant.

Séquence 15 : Reprise / anticipation

Page 119
Proverbes

1. – Et ton fils, il fait toujours autant de bêtises ?

PARCOURS 4

– Non, maintenant il a 26 ans. Ce n'est plus un enfant.

2. – Bravo ! Tu as gagné ton procès !
   – Ne m'en parle pas ! Je vais recevoir 1 000 euros, mais mon avocat m'a envoyé une facture de 2 500 euros !
3. – Allez ! Il faut bouger, réagir, faire quelque chose !
   – Tu as raison !
4. – Allô ?
   – C'est Yannick. Je te réveille ?
   – Oui. Il est 6 heures du matin. Qu'est-ce qu'il y a ?
   – Tu pourrais me rendre les 500 euros que je t'ai prêtés le mois dernier ? J'en ai besoin.
5. – Tu ne veux rien ?
   – Non, je n'ai pas faim.
   – Goûte ! Tu vas voir, c'est très bon.
   – C'est vrai, tu as raison. Finalement, je vais en reprendre.
6. – Bravo pour cette médaille d'or ! Cela fait dix ans que vous participez à des compétitions et c'est votre première victoire à un marathon. Quel est votre secret ?
   – S'entraîner, s'entraîner, tous les jours, toute l'année. Comme dit le proverbe : « Petit à petit, l'oiseau fait son nid. »

Page 120
Le gérondif, quel drôle de nom !
Dialogue témoin :
On irait plus vite en prenant le métro !

1. C'est en répondant à une petite annonce qu'il a rencontré sa femme.
2. Un jour, en observant son voisin, il a eu l'idée de ce petit film sympathique.
3. En vous abonnant pour un an ou plus, vous bénéficierez d'une réduction de 25% et d'un magnifique cadeau.
4. En partant le dimanche et en rentrant le lundi suivant, vous bénéficiez d'un tarif réduit sur le billet d'avion.
5. En prenant ce médicament deux fois par jour, vous serez guéri dans une semaine.
6. Il ne va pas réussir son concours d'entrée à l'ENA en faisant la fête toutes les nuits !

Page 124
Accords

1. Où est-ce que tu les a mises ?
2. C'est toi qui l'a ouverte ?
3. Excusez-moi, je l'ai pris par erreur. J'ai le même.
4. Je les ai faites moi-même.
5. Je l'ai cuite pendant une heure.
6. C'est Éric qui me les a offertes.

Page 126
Le français familier
Dialogue témoin :
– Qu'est-ce qu'il y a ce soir à la téloche ?
– Sur TF1, Les Keufs *et sur France 2* Les Ripoux.

Séquence 16 : Discours

Page 127
Conférences en tout genre

1. Brillat-Savarin a écrit « Dis-moi ce que tu manges et je te dirai ce que tu es ». Si on le croit, le Français, celui de la caricature, que vous voyez projetée à l'écran, avec son béret et sa baguette sous le bras, n'existe plus. D'une part parce que les Français ne portent plus de béret et d'autre part parce que le pain, ce symbole de la France, le bon pain, celui qui croque sous la dent et croustille, dont l'odeur donne faim, ce pain a disparu. Le pain d'aujourd'hui est industriel, mou et sans saveur. Sa consommation a baissé de plus de 50 % en cinquante ans. La France, patrie de la gastronomie, va-t-elle devenir celle de la « malbouffe » et la caricature du Français passer de ça... à ça ?
   C'est à cette question angoissante que je vais essayer de répondre au cours de cette conférence.
2. Voilà, j'espère que maintenant, vous connaissez un peu mieux les différentes facettes de cet homme qui a été poète, romancier, tragédien, homme politique, précurseur de l'union européenne, révolutionnaire.
   Deux siècles après sa naissance, son œuvre poursuit son existence sous des formes diverses. Elle vit à travers un dessin animé produit par les studios Disney, *Notre-Dame de Paris*, des comédies musicales, de nombreux films car *Les Misérables* est certainement le roman qui a été le plus adapté au cinéma.
   Je terminerai par une anecdote, caractéristique de l'influence de Victor Hugo, deux siècles après sa naissance. Il y a une dizaine d'années, j'ai passé quelques semaines à Besançon. Un grand nombre de Bisontins (les Bisontins sont les habitants de Besançon) continuent à croire qu'ils habitent dans une vieille ville espagnole parce qu'un jour, dans un poème, Victor Hugo a écrit, pour évoquer sa naissance en 1802 :
   « Alors dans Besançon, vieille ville espagnole,
   jeté comme la graine au gré de l'air qui vole,
   naquit d'un sang breton et lorrain à la fois,
   un enfant sans couleur et sans voix ».
   Besançon et sa région, la Franche-Comté, ont, c'est vrai, appartenu à l'Espagne pendant quelques années, mais il n'y a jamais eu à Besançon de présence espagnole, ni d'influence culturelle ou architecturale ibérique. Chaque fois qu'un Bisontin m'a montré fièrement les grilles des fenêtres de la vieille ville de Besançon et m'a expliqué qu'elles étaient d'influence espagnole, je n'ai rien dit pour le détromper. Je pense personnellement que c'est beaucoup plus beau et plus poétique de penser qu'on vit dans un petit coin d'Espagne à 2000 kilomètres de Madrid. Je vous remercie de votre attention.
3. La découverte scientifique, qui permettrait d'obtenir une source d'énergie à partir de l'eau, si elle est possible comme semblent l'indiquer certaines expériences scientifiques récentes, constituera une révolution aussi importante pour l'humanité que l'ont été l'imprimerie, la machine à vapeur, la fusion nucléaire, l'informatique. Je vous propose de faire le point sur les recherches dans ce domaine.

Page 128
Conférence

Je salue d'abord les délégations venues du monde entier à ce colloque sur l'environnement, qui se tient à Manaus, un lieu symbolique pour parler d'écologie, car nous sommes ici au cœur de l'Amazonie, poumon de la planète. L'air pur se fait rare, la couche d'ozone se dégrade chaque jour un peu plus, l'effet de serre, qui a pour conséquence le réchauffement de la planète, a déjà commencé. Ainsi, un morceau de la banquise de plusieurs milliers de kilomètres carrés qui existait depuis plusieurs milliers d'années, vient de se détacher du Groenland.

La question est simple : comment faire pour inverser le chemin qui nous mène à la catastrophe ? C'est à cette question que je vais tenter de répondre dans cette conférence dont le titre « Planète, état d'urgence » est à prendre au sérieux si on veut laisser à nos enfants et petits-enfants une Terre propre et en état de marche.

PARCOURS 4

Page 129

Vous avez un plan ?

Je vais vous parler aujourd'hui des intérêts de l'Internet pour améliorer les communications humaines.

Nous verrons d 'abord quelles sont les raisons qui font d'Internet un moyen privilégié pour développer les relations entre les hommes. Nous nous demanderons ensuite s'il y a des limites à ces affirmations, je vous donnerai enfin mon point de vue personnel sur la question.

Il est clair que l'utilisation d'Internet permet de communiquer à n'importe quel moment avec n'importe quelle personne malgré les distances. Internet permet également aux personnes intéressées par un même sujet de se rencontrer et de dialoguer. Internet permet enfin de se former, d'avoir accès à toutes sortes de documents et par là même de rentrer en contact avec des personnes avec qui nous n'aurions jamais pu établir un dialogue.

Toutes ces raisons nous amènent donc à penser qu'Internet est un moyen privilégié d'établir des relations humaines, il faut cependant nuancer ces affirmations.

En effet, si l'on regarde les chiffres, seule une petite partie de la population est connectée.

Par ailleurs, c'est surtout dans les pays développés que ce moyen de communication est utilisé, on peut donc se demander s'il favorise le dialogue Nord-Sud.

Enfin, ce moyen ne peut pas remplacer les contacts directs, beaucoup d'exemples le montrent, on ne lit pas un livre sur le Net, on rencontre une personne sur « la toile » mais on a envie de la rencontrer « en vrai ».

Il faut donc être prudent et ne pas avoir une attitude inconditionnelle par rapport à Internet.

Pour ma part, je crois que ce moyen, s'il permet l'accès à une documentation illimitée, s'il donne la possibilité de contacter d'autres personnes, de dialoguer avec elles, doit être utilisé sans illusion.

Je voudrais terminer mon intervention en signalant que les découvertes technologiques ne sont jamais que ce que l'homme (et surtout la femme) en fait et que l'usage de la modernité ne règle pas tout.

Table de références des textes et crédits photographiques

Couverture : © J. Barrat/Pix (1) ; © G. Engel/Urba Images (2) ; W. Buss/Hoaqui (3) ; © A. Wolf/Hoaqui (4) ; Roger Viollet (5)

Intérieur : p. 11 : © Alfred Wolf/Hoaqui (2) ; © Pierre Franck Colombier/AFP (3) ; © Tim Macpherson/Stone (4) ; © M. Castro/Urba Images (5) ; © Fred Vielcanet/Urba Images (7) - **p. 12** : © Wojtek Buss/Hoaqui (a) ; © M. Castro/Urba Images (b) ; © Olivier roux/Explorer (c) - **p. 13** : © F. Achdou/Urba Images (d) ; © F. Charel/Haoqui (e) ; © Camille Moirenc/Diaf (f) ; © Eurasia Press/Diaf (g) ; © Suzanne & Nick Geary/ Stone(h) ; © M. Castro/Urba Images (i) ; © G. Engel/Urba Images (j) ; © James Andanson/Sygma (k) - **p. 20** : © CIRIP - **p. 21** : © Option Photo/Asset (haut) ; © Option Photo/Azambre (bas d et g) - **p. 22** : © Guide du Ménez-Hom Atlantique - Maison du Tourisme (29160 Crozon) - **p. 31** : © Eurasia Press/Diaf (g) ; © Philippe Giraud/Corbis Sygma (m) ; © Darrell Julin/Corbis (d) - **p. 33** : © Roger Viollet (h) ; © Serge Arnal/Still (mg) ; © Bridgeman Art Library (md) ; © Christophe L (b) - **p. 35** : © G. Beauzel/Urba Images - **p. 38** : © CGT ; © CFDT ; © FO ; © RPR - **p. 39** : "Ces cabots qui nous gouvernent" © Hors Collection, 2002 ; © Meigneux/Sipa ; © Sureau/Sipa ; © TGV ; © RATP-SNCF ; © Gamma - **p. 40** : © Editions Gallimard ; © Lipnitzki/Roger Viollet (g) ; © Roger Viollet (m et d) - **p. 42** : La Photothèque Culinaire/Lamboley Editions - **p. 43** : © Thierry Martinez/Vandystadt - **p. 45** : © Roger Viollet (g) ; © Lerosey/Jerrican (d) - **p. 46** : © Patrick Ward/Ana (a) ; © Labat/Jerrican (b) ; © Limier/Jerrican (c) ; © De Hogues/Jerrican (d) ; © Balzak/Explorer (e) ; © J. du Sordet/Ana (f) - **p. 49** : © http://www.securiteroutiere.equipement.gouv ; © Signals (4d-5d) - **p. 57** : © Duranti/Jerrican (a) ; © Harris/Jerrican (b) ; © Wolff/Jerrican (c) ; © Gaillard/Jerrican (d) ; © Chicco (1) ; © Texier Maroquinier (2,3) ; © Vegea (4) - **p. 66** : © Gaillard/Jerrican - **p. 66** : © Gordons/Jerrican (h) ; © Gilles Lansard/francedias.com (mh) ; © M.Castro/Urba Images (mb) ; © Pitamitz/Sipa (b) ; © Gaillard/Jerrican (dh) ; © De Hogues/Jerrican (bd) - **p. 67** : © Gaillard/Jerrican (gh) ; © F. Anderson/Gamma (gm) ; © Gable/Jerrican (gb) ; © Magrean/Jerrican (mh) ; © Joan Klatchko/Gamma (mb) ; © De Hogues/Jerrican (dh) ; © Vielcanet/Urba Images (db) - **p. 70** : © MPA-Sitlls/Flusin (g) ; © Serge Arnals/Stills (m) ; © D.R./Stills (d) - **p. 71** : © Christophe L (1, 2, 3) - **p. 72** : "Courir les rues" © Gallimard ; René Fallet "Paris au mois d'août" © Denoël - **p. 73** : Louis Aragon "Les Beaux Quartiers" © Denoël - **p. 76** : © Réponse à Tout - **p. 77** : © Stevens William/Gamma (hd) ; © Pascal Parrot/Corbis Sygma (bd) ; © Auber/Corbis Sygma (g) - **p. 85** : © Stéphane Cardinale/Corbis Sygma - **pp. 90-91** : Suite Caraïbéenne de Hugo Pratt © Casterman S.A ; © 2002 Les Editions Albet René/Goscinny-Uderzo ; © Hergé/Moulinsart 2002 - **p. 93** : © De Sazo/Rapho (hg) ; © Reglain/Gamma (mg) ; © J.J. Bernier/Gamma (bg) ; © Gamma (hd) ; © B. Brault/Gamma (md) ; © Sunset Boulevard/CorbisSygma (bd) - **p. 98 :** © Camille Tokerud/Gettyimages - **p. 99 :** Extrait de "Cher Président" © Editions PlayBac - **p. 100** : © DP (1, 2, 3, 5, 6, 7) ; "Collection Présence du Futur" © Edition Denoël (4) ; Le poulpe, " Arrêtez le carrelage ", Editions la Baleine © Editions du Seuil - **p. 101** : © LGF - Livre de Poche ; Le poulpe, " Arrêtez le carrelage ", Editions la Baleine © Editions du Seuil - **p. 102** : © Femme Actuelle, DC - **p. 110** : © Christophe L - **p. 112** : © E. Valentin/Hoaqui - **p. 115** : © Pierre Gleizes/Réa (bd) ; © Christophe L (bg) - **p. 117** : © A Namco Product. Distributed by Sony Computer Entertainment Europe. Developed by Namco. Game C (encircled) 1998 2000 2001 NAMCO LTD., All rights reserved. Namco is a registered trademark of NAMCO LTD - **p. 126** : © Christophe L - **pp. 130-131** : © La Poste - **p. 132 :** Phosphore © Bayard - **pp. 136-137** : © NRF Gallimard (A-D) ; © Edition de Minuit (B) ; © Gallimard (C) ; © Grasset (E) - **p. 138 :** © Haley/Sipa

Photos :
Yves Canier : p. 60 - **Julien Jaulin** : p. 11 (1), p. 71 (4, 5, 6, 7, 8, 9) - **Ana Vetter** : p. 127.

Dessins :
Marie-Marthe Collin : pp. 17 - 22 - 24 - 29 - 40 - 41 - 49 - 51 - 53 - 79 - 86 - 92 - 104 - 105 - 111 - 114 - 133 - 134 - 135.
Didier Crombez : pp. 16 - 18 - 20 - 28 - 32 - 38 - 45 - 47 - 48 - 52 - 53 - 59 - 61 - 69 - 81 - 88 - 95 - 96 - 106 - 108 - 116 - 119 - 125 - 134.
Dom Jouenne : pp. 9 - 10 - 12 - 19 - 23 - 27 - 30 - 36 - 43 - 50 - 54 - 55 - 56 - 62 - 64 - 65 - 69 - 74 - 78 - 80 - 87 - 89 - 103 - 109 - 113 - 115 - 118 - 120 - 122 - 126 - 129 - 130.
Sébastien Loghman : pp. 14 - 63.
SG Création (Lionel Buchet) : p. 72.
Rony Turlet : pp. 15 - 25 - 30 - 34 - 44 - 65 - 82 - 83 - 115.

Imprimé en France par I.M.E. - 25110 Baume-les-Dames
Dépôt légal : 5161/01-Juin-2002